Œuvres & thèmes

Collection dirigée par Hélène Potelet et Georges Décote

Théophile Gautier

La Morte amoureuse
Arria Marcella
Souvenir de Pompé

GW00391081

Textes intégraux

Un genre

La nouvelle fantastique

© Hatier
Paris 2005
ISBN 978-2-218-75108-0
ISSN 0184 0851

Cécile de Cazanove,
agrégée de Lettres modernes

L'air du temps

La parution des nouvelles

■ Le 23 juin 1836, *La Morte amoureuse* est publiée dans *La Chronique de Paris*.

■ En mars 1852, *Arria Marcella* paraît dans *La Revue de Paris*. Théophile Gautier lui donne comme sous-titre : *Souvenir de Pompéi*.

■ Le 2 décembre 1851, Louis Napoléon Bonaparte prend le pouvoir et instaure le Second Empire. Il règne sous le nom de Napoléon III.

À la même époque...

■ En Italie, Cavour donne son essor au mouvement d'unification du pays, baptisé le *Risorgimento*.

■ Victor Hugo s'oppose à Napoléon III qu'il surnomme Napoléon le Petit et s'exile à Jersey.

■ Haussmann commence de grands travaux à Paris. Le premier grand magasin ouvre ses portes : *Au Bon Marché*.

■ La première liaison télégraphique est établie entre Douvres et Calais grâce à un câble sous-marin ; le chemin de fer prend son essor avec l'ouverture de la première ligne commerciale en France, le « Paris-Lyon-Marseille »...

■ Corot, se souvenant de ses voyages en Italie, peint *Une matinée, danse des nymphes* (1850).

Sommaire

La Morte amoureuse (1836)

Arria Marcella (1852)

Introduction
Théophile Gautier (1811-1872)

Le jeune romantique

Théophile Gautier est né à Tarbes en 1811, mais dès 1814 ses parents s'installent à Paris. Au collège Charlemagne, il se lie d'amitié avec Gérard Labrunie qui prendra ensuite le pseudonyme de Gérard de Nerval. Adolescent, Théophile Gautier hésite entre la peinture et la poésie et choisit finalement d'écrire. Il admire les grands poètes romantiques de son temps : Lamartine, Musset, Vigny. Avec quelques amis, il fonde un cercle d'artistes. Il y défend les revendications romantiques : rejet des règles trop strictes issues du classicisme et volonté d'une plus grande liberté

Théophile Gautier par Félix Nadar.

en poésie et au théâtre pour mieux traduire des sentiments personnels. À dix-neuf ans, le 25 février 1830, il assiste à la première représentation d'*Hernani*, pièce de son ami Victor Hugo. Il porte alors des cheveux longs, et s'habille d'un gilet rouge vif et d'un pantalon gris à bandes noires, tenue très provocante pour l'époque. La pièce fait scandale, et une partie du public manifeste vivement. Théophile Gautier raconte : « L'orchestre et le balcon étaient pavés de crânes académiques et classiques. Une rumeur d'orage grondait sourdement dans la salle ; on en serait peut-être venu aux mains avant la pièce, tant l'animosité était grande de part et d'autre ». Théophile Gautier et ses amis, Alexandre Dumas, Gérard de Nerval, Honoré de Balzac et Hector Berlioz applaudissent à tout rompre tandis que le reste du public siffle la pièce : c'est la célèbre « bataille d'Hernani ». Les Romantiques l'emportent finalement puisque la pièce est un succès.

Le poète

Pourtant, Théophile Gautier se détache peu à peu du mouvement romantique. Dès 1832, il se dit partisan d'une poésie qui veut atteindre le Beau et qui se désintéresse de la réalité. Il veut ciseler le vers comme on cisèle le marbre : le travail du poète doit surtout porter sur le choix des mots, des vers, des sonorités, c'est-à-dire sur la forme. Son recueil de poèmes le plus important paraît en 1852 et s'intitule *Émaux et camées*.

Le journaliste

Tout en continuant à écrire des poésies, Théophile Gautier se lance, à partir de 1836, dans une brillante carrière de journaliste. Participant à différents journaux ou revues, il rédige des critiques sur des peintres ou des auteurs de théâtre, mais il écrit également des nouvelles et des récits de voyage. Il part en reportage dans différents pays : en 1840 en Espagne, en 1850 en Italie, en 1852 à Constantinople et, deux ans avant sa mort, en Égypte. Pendant ses voyages, il envoie aux journaux des récits « à chaud » où il rapporte des anecdotes, raconte ses visites… Lors de son séjour en Italie, en 1850, il envoie régulièrement au journal *La Presse* des chroniques qu'il intitule « Italia ». Il utilise ce travail pour enrichir ses écrits personnels. C'est par exemple une visite à Pompéi qui lui inspire *Arria Marcella*.

Le romancier

Dans ses romans et ses nouvelles, Théophile Gautier voyage souvent dans le temps : *Le Pied de momie* (1840) et *Le Roman de la Momie* (1858) se déroulent dans l'Égypte antique, *Arria Marcella* (1852) au Ier siècle après J.-C., et *Le Capitaine Fracasse* (1863) au XVIIe siècle. Dans ses romans historiques, il s'attache à reconstituer les conditions de vie de l'époque qu'il évoque, à travers des détails précis : la vie quotidienne à Pompéi dans *Arria Marcella*, la dure existence des comédiens ambulants dans *Le Capitaine Fracasse*…

Déjà affaibli par la maladie, Théophile Gautier est très affecté par la défaite de la France lors de la guerre de 1870. Il meurt en 1872.

Victor Hugo rend hommage à son ami de toujours en écrivant :
« Ce siècle altier qui sut dompter le vent contraire
Expire… Ô Gautier, toi leur égal et leur frère,
Tu pars après Dumas, Lamartine et Musset. »
Baudelaire, qui lui avait dédié son recueil de poésie *Les Fleurs du mal*,
vante ses grandes qualités de poète mais ajoute : « Là où il a montré
le talent le plus sûr et le plus grave, c'est dans la nouvelle… ».

La Morte amoureuse (1836)
Arria Marcella (1852)

Deux nouvelles fantastiques

• La nouvelle est un récit court qui ne comporte donc qu'un nombre
restreint de personnages : deux principaux dans chacune des œuvres.
Les événements sont peu nombreux et s'enchaînent rapidement.
Toutefois, la brièveté est compensée par l'intensité : tous les détails
sont utiles à l'histoire. Les éléments du récit s'inscrivent dans une
progression dramatique qui se dénoue dans la chute, ou situation
finale. La nouvelle raconte, selon la définition de Gœthe, « un événement inouï et qui a eu lieu » (*Entretiens avec Eckermann*).
Dans le cas des deux nouvelles de Gautier, il s'agit de la résurrec-
tion de femmes qui lient une passion amoureuse et éphémère avec
un homme vivant.

• *La Morte amoureuse* et *Arria Marcella* paraissent d'abord dans des
revues : *La Chronique de Paris* pour la première, *La Revue de Paris*
pour la seconde. Les journaux, de plus en plus nombreux au XIXᵉ siècle,
publient beaucoup de nouvelles car le public est friand de ces lectures
brèves et palpitantes. Tous les grands auteurs de l'époque (Balzac,
Stendhal, Flaubert et surtout Mérimée et Maupassant) en écrivent.
Comme beaucoup de ses contemporains, Théophile Gautier a créé
deux types de nouvelles : des nouvelles réalistes, qui reflètent la
société de son temps, et une douzaine de nouvelles fantastiques,
dont *La Morte amoureuse* et *Arria Marcella*.

• Dans ces récits, les personnages et les lecteurs hésitent entre une explication naturelle ou rationnelle des faits (Romuald et Octavien ont rêvé) et une interprétation surnaturelle (par la force de leur amour, les héros ont redonné vie à une jeune Pompéienne et à une courtisane). Rien ne permet de trancher. Tout au plus peut-on remarquer que le thème de l'amour qui triomphe de la mort revient dans plusieurs nouvelles de Théophile Gautier : *La Cafetière* (1831), *Omphale, histoire rococo* (1834), *La Morte amoureuse* (1836) et *Arria Marcella* (1852). Plus généralement, les histoires fantastiques de « morts-vivants » ont constitué une grande source d'inspiration pour l'auteur qui met en scène ces revenants dans *Le Chevalier double* (1840) et *Deux acteurs pour un rôle* (1841). Ces histoires sont-elles les récits de rêves, de cauchemars parfois, ou des histoires vraies ? Le propre du fantastique est de laisser planer le doute.

Le cadre des récits

• *La Morte amoureuse* se déroule en Italie. Octavien et Clarimonde vivent à Venise ; toutefois les noms des autres lieux de l'action, comme la ville où le héros se fait ordonner prêtre ou le village dans lequel il exerce ses fonctions, ne sont jamais précisés. Aucun indice temporel ne permet de dater avec certitude l'action. Ce brouillage des repères d'espace et de temps participe du genre fantastique et plonge le lecteur dans l'incertitude.

• Le 24 août 79 après J.-C., le Vésuve entre soudain en éruption avec une très grande violence. En quelques heures, Pompéi est ensevelie sous des cendres et des pierres ponces qui forment une couche de cinq à sept mètres d'épaisseur. Durant des siècles, personne ne s'intéresse à cette ville qui a été rayée de la carte. Ce n'est qu'en 1748 que les premières fouilles commencent. La maison d'Arrius Diomèdes, qui sert en partie de cadre à la nouvelle, est dégagée de 1771 à 1774. Toute la cité est admirablement conservée et Pompéi devient, à partir de 1765, une destination de voyage très appréciée. Gérard de Nerval visite le site en 1834, et Théophile Gautier s'y rend lors de son séjour en Italie en 1850.

Théophile Gautier

La Morte amoureuse

La Morte amoureuse, d'après Théophile Gautier.
Lithographie d'après A. P. Laurens, 1904. Collection privée.

Extrait 1

« Oui, j'ai aimé comme personne au monde n'a aimé »

Vous me demandez, frère[1], si j'ai aimé ; oui. C'est une histoire singulière et terrible, et, quoique j'ai soixante-six ans, j'ose à peine remuer la cendre de ce souvenir. Je ne veux rien vous refuser, mais je ne ferais pas à une âme moins
5 éprouvée un pareil récit. Ce sont des événements si étranges, que je ne puis croire qu'ils me soient arrivés. J'ai été pendant plus de trois ans le jouet d'une illusion singulière et diabolique. Moi, pauvre prêtre de campagne, j'ai mené en rêve toutes les nuits (Dieu veuille que ce soit un rêve !) une vie
10 de damné, une vie de mondain et de Sardanapale[2]. Un seul regard trop plein de complaisance jeté sur une femme pensa[3] causer la perte de mon âme ; mais enfin, avec l'aide de Dieu et de mon saint patron[4], je suis parvenu à chasser l'esprit malin qui s'était emparé de moi. Mon existence s'était
15 compliquée d'une existence nocturne entièrement différente. Le jour, j'étais un prêtre du Seigneur, chaste, occupé de la prière et des choses saintes ; la nuit, dès que j'avais fermé les yeux, je devenais un jeune seigneur, fin connaisseur en femmes, en chiens et en chevaux, jouant aux dés, buvant et
20 blasphémant ; et lorsqu'au lever de l'aube je me réveillais, il me semblait au contraire que je m'endormais et que je rêvais que j'étais prêtre. De cette vie somnambulique il m'est resté des souvenirs d'objets et de mots dont je ne puis pas me défendre, et, quoique je ne sois jamais sorti des murs de
25 mon presbytère, on dirait plutôt, à m'entendre, un homme

---

1. Le narrateur s'adresse à un autre prêtre.　　3. Faillit.
2. Roi légendaire d'Assyrie qui aurait eu une vie de débauche.　　4. Saint protecteur.

ayant usé de tout et revenu du monde, qui est entré en religion et qui veut finir dans le sein de Dieu des jours trop
agités, qu'un humble séminariste[5] qui a vieilli dans une cure[6]
ignorée, au fond d'un bois et sans aucun rapport avec les
30 choses du siècle.

Oui, j'ai aimé comme personne au monde n'a aimé, d'un
amour insensé et furieux, si violent que je suis étonné qu'il
n'ait pas fait éclater mon cœur. Ah ! quelles nuits ! quelles
nuits !

35 Dès ma plus tendre enfance, je m'étais senti de la vocation
pour l'état de prêtre ; aussi toutes mes études furent-elles dirigées dans ce sens-là, et ma vie, jusqu'à vingt-quatre ans, ne
fut-elle qu'un long noviciat[7]. Ma théologie[8] achevée, je passai
successivement par tous les petits ordres[9], et mes supérieurs
40 me jugèrent digne, malgré ma grande jeunesse, de franchir
le dernier et redoutable degré. Le jour de mon ordination[10]
fut fixé à la semaine de Pâques.

Je n'étais jamais allé dans le monde ; le monde, c'était pour
moi l'enclos du collège et du séminaire. Je savais vaguement
45 qu'il y avait quelque chose que l'on appelait femme, mais je
n'y arrêtais pas ma pensée ; j'étais d'une innocence parfaite.
Je ne voyais ma mère vieille et infirme que deux fois l'an.
C'étaient là toutes mes relations avec le dehors.

Je ne regrettais rien, je n'éprouvais pas la moindre hésita
50 tion devant cet engagement irrévocable[11] ; j'étais plein de joie
et d'impatience. Jamais jeune fiancé n'a compté les heures
avec une ardeur plus fiévreuse ; je n'en dormais pas, je rêvais
que je disais la messe ; être prêtre, je ne voyais rien de plus

5. Élève d'un séminaire, établissement
religieux où étudient ceux qui souhaitent
devenir prêtres.
6. Paroisse.
7. Temps de préparation avant de devenir
prêtre.

8. Études religieuses.
9. Degrés inférieurs avant l'ordination.
10. Cérémonie au cours de laquelle le
novice est ordonné prêtre.
11. Qui ne peut être changé.

beau au monde : j'aurais refusé d'être roi ou poète. Mon ambi-
55 tion ne concevait pas au-delà.

Ce que je dis là est pour vous montrer combien ce qui m'est
arrivé ne devait pas m'arriver, et de quelle fascination inexplicable j'ai été la victime.

Le grand jour venu, je marchai à l'église d'un pas si léger,
60 qu'il me semblait que je fusse soutenu en l'air ou que j'eusse
des ailes aux épaules. Je me croyais un ange, et je m'étonnais
de la physionomie sombre et préoccupée de mes compagnons ;
car nous étions plusieurs. J'avais passé la nuit en prières, et
j'étais dans un état qui touchait presque à l'extase. L'évêque,
65 vieillard vénérable, me paraissait Dieu le Père penché sur son
éternité, et je voyais le ciel à travers les voûtes du temple.

Vous savez les détails de cette cérémonie : la bénédiction, la
communion sous les deux espèces[12], l'onction[13] de la paume
des mains avec l'huile des catéchumènes[14], et enfin le saint
70 sacrifice offert de concert avec l'évêque. Je ne m'appesantirai
pas sur cela. Oh ! que Job[15] a raison, et que celui-là est impru-
dent qui ne conclut pas un pacte avec ses yeux ! Je levai par
hasard ma tête, que j'avais jusque-là tenue inclinée, et
j'aperçus devant moi, si près que j'aurais pu la toucher,
75 quoique en réalité elle fût à une assez grande distance et de
l'autre côté de la balustrade, une jeune femme d'une beauté
rare et vêtue avec une magnificence royale. Ce fut comme
si des écailles me tombaient des prunelles. J'éprouvai la sen-
sation d'un aveugle qui recouvrerait subitement la vue.
80 L'évêque, si rayonnant tout à l'heure, s'éteignit tout à coup,
les cierges pâlirent sur leurs chandeliers d'or comme les étoiles
au matin, et il se fit par toute l'église une complète obscurité.

---

12. Le prêtre communie avec le pain et le vin.
13. Le fait de frotter les paumes des
mains avec de l'huile bénite.
14. Personne que l'on instruit dans la foi
chrétienne.

15. Personnage biblique qui incarne
l'homme juste tenté par Satan mais fidèle
à sa foi. Pour résister, il avait « fait un
pacte avec [ses] yeux, au point de ne fixer
aucune vierge » (Livre de Job, 31, 1).

La charmante créature se détachait sur ce fond d'ombre comme une révélation angélique; elle semblait éclairée d'elle-même et donner le jour plutôt que le recevoir.

Je baissai la paupière, bien résolu à ne plus la relever pour me soustraire à l'influence des objets extérieurs; car la distraction m'envahissait de plus en plus, et je savais à peine ce que je faisais.

Une minute après, je rouvris les yeux, car à travers mes cils je la voyais étincelante des couleurs du prisme[16], et dans une pénombre pourprée comme lorsqu'on regarde le soleil.

Oh! comme elle était belle! Les plus grands peintres, lorsque, poursuivant dans le ciel, la beauté idéale, ils ont rapporté sur la terre le divin portrait de la Madone[17], n'approchent même pas de cette fabuleuse réalité. Ni les vers du poète ni la palette du peintre n'en peuvent donner une idée. Elle était assez grande, avec une taille et un port[18] de déesse; ses cheveux, d'un blond doux, se séparaient sur le haut de sa tête et coulaient sur ses tempes comme deux fleuves d'or; on aurait dit une reine avec son diadème; son front, d'une blancheur bleuâtre et transparente, s'étendait large et serein sur les arcs de deux cils presque bruns, singularité qui ajoutait encore à l'effet de prunelles vert de mer d'une vivacité et d'un éclat insoutenables. Quels yeux! avec un éclair ils décidaient de la destinée d'un homme; ils avaient une vie, une limpidité, une ardeur, une humanité brillante que je n'ai jamais vues à un œil humain; il s'en échappait des rayons pareils à des flèches et que je voyais distinctement aboutir à mon cœur. Je ne sais si la flamme qui les illuminait venait du ciel ou de l'enfer, mais à coup sûr elle venait de l'un ou de l'autre. Cette femme était un ange ou un démon, et peut-être tous les deux; elle ne sortait certainement pas du flanc d'Ève, la mère

---

16. Couleurs de l'arc-en-ciel. | **18.** Allure.
17. La Vierge.

commune. Des dents du plus bel orient[19] scintillaient dans
son rouge sourire, et de petites fossettes se creusaient à chaque
inflexion de sa bouche dans le satin rose de ses adorables
joues. Pour son nez, il était d'une finesse et d'une fierté toute
royale, et décelait la plus noble origine. Des luisants[20] d'agate
jouaient sur la peau unie et lustrée de ses épaules à demi
découvertes, et des rangs de grosses perles blondes, d'un ton
presque semblable à son cou, lui descendaient sur la poitrine.
De temps en temps elle redressait sa tête avec un mouvement
onduleux de couleuvre ou de paon qui se rengorge, et impri-
mait un léger frisson à la haute fraise[21] brodée à jour qui l'entourait comme un treillis d'argent.

Elle portait une robe de velours nacarat[22], et de ses larges
manches doublées d'hermine[23] sortaient des mains patri-
ciennes[24] d'une délicatesse infinie, aux doigts longs et potelés,
et d'une si idéale transparence qu'ils laissaient passer le jour
comme ceux de l'Aurore[25].

Edward Burne-Jones (1833-1898),
« Sidonia von Bork, 1560 »,
1860-1861. Aquarelle.
London, Tate Gallery.

19. Éclat semblable à celui d'une perle.
20. Bijoux.
21. Collerette de dentelle.
22. Rouge clair à reflets nacrés.
23. Fourrure blanche, très recherchée.
24. Dignes d'une noble dame.
25. « L'Aurore aux doigts de rose » est
une image très fréquente dans l'œuvre
d'Homère.

Tous ces détails me sont encore aussi présents que s'ils dataient d'hier, et, quoique je fusse dans un trouble extrême, rien ne m'échappait : la plus légère nuance, le petit point noir au coin du menton, l'imperceptible duvet aux commissures[26]
135 des lèvres, le velouté du front, l'ombre tremblante des cils sur les joues, je saisissais tout avec une lucidité étonnante.

À mesure que je la regardais, je sentais s'ouvrir dans moi des portes qui jusqu'alors avaient été fermées ; des soupiraux obstrués se débouchaient dans tous les sens et laissaient entre-
140 voir des perspectives inconnues ; la vie m'apparaissait sous un aspect tout autre ; je venais de naître à un nouvel ordre d'idées. Une angoisse effroyable me tenaillait le cœur ; chaque minute qui s'écoulait me semblait une seconde et un siècle. La cérémonie avançait cependant, et j'étais emporté bien loin
145 du monde dont mes désirs naissants assiégeaient furieusement l'entrée. Je dis oui cependant, lorsque je voulais dire non, lorsque tout en moi se révoltait et protestait contre la violence que ma langue faisait à mon âme : une force occulte[27] m'arrachait malgré moi les mots du gosier. C'est là peut-être ce qui
150 fait que tant de jeunes filles marchent à l'autel avec la ferme résolution de refuser d'une manière éclatante l'époux qu'on leur impose, et que pas une seule n'exécute son projet. C'est là sans doute ce qui fait que tant de pauvres novices prennent le voile[28], quoique bien décidées à le déchirer en pièces au
155 moment de prononcer leurs vœux. On n'ose causer un tel scandale devant tout le monde ni tromper l'attente de tant de personnes ; toutes ces volontés, tous ces regards semblent peser sur vous comme une chape[29] de plomb : et puis les mesures sont si bien prises, tout est si bien réglé à l'avance, d'une façon
160 si évidemment irrévocable, que la pensée cède au poids de la chose et s'affaisse complètement.

| **26.** Coins. | **27.** Secrète. | **28.** Deviennent religieuses. | **29.** Couvercle.

Le regard de la belle inconnue changeait d'expression selon le progrès de la cérémonie. De tendre et caressant qu'il était d'abord, il prit un air de dédain et de mécontentement comme
165 de ne pas avoir été compris.

Je fis un effort suffisant pour arracher une montagne, pour m'écrier que je ne voulais pas être prêtre ; mais je ne pus en venir à bout ; ma langue resta clouée à mon palais, et il me fut impossible de traduire ma volonté par le plus léger mouve-
170 ment négatif. J'étais, tout éveillé, dans un état pareil à celui du cauchemar, où l'on veut crier un mot dont votre vie dépend, sans en pouvoir venir à bout.

Elle parut sensible au martyre que j'éprouvais, et, comme pour m'encourager, elle me lança une œillade pleine de divines
175 promesses. Ses yeux étaient un poème dont chaque regard formait un chant.

Elle me disait :

« Si tu veux être à moi, je te ferai plus heureux que Dieu lui-même dans son paradis ; les anges te jalouseront. Déchire ce
180 funèbre linceul[30] où tu vas t'envelopper ; je suis la beauté, je suis la jeunesse, je suis la vie ; viens à moi, nous serons l'amour. Que pourrait t'offrir Jéhovah[31] pour compensation ? Notre existence coulera comme un rêve et ne sera qu'un baiser éternel. »

185 « Répands le vin de ce calice[32], et tu es libre. Je t'emmènerai vers les îles inconnues ; tu dormiras sur mon sein, dans un lit d'or massif et sous un pavillon d'argent ; car je t'aime et je veux te prendre à ton Dieu, devant qui tant de nobles cœurs répandent des flots d'amour qui n'arrivent pas jusqu'à lui. »

190 Il me semblait entendre ces paroles sur un rythme d'une douceur infinie, car son regard avait presque la sonorité, et les phrases que ses yeux m'envoyaient retentissaient au fond

---

30. Drap mortuaire.
31. Dieu dans l'Ancien Testament.

32. Coupe où le vin est consacré pendant la messe.

de mon cœur comme si une bouche invisible les eût soufflées dans mon âme. Je me sentais prêt à renoncer à Dieu, et cepen-
195 dant mon cœur accomplissait machinalement les formalités de la cérémonie. La belle me jeta un second coup d'œil si suppliant, si désespéré, que des lames acérées[33] me traversè-rent le cœur, que je me sentis plus de glaives[34] dans la poitrine que la mère des douleurs[35].

200   C'en était fait, j'étais prêtre.

Jamais physionomie humaine ne peignit une angoisse aussi poignante ; la jeune fille qui voit tomber son fiancé mort subi-tement à côté d'elle, la mère auprès du berceau vide de son enfant, Ève assise sur le seuil de la porte du paradis, l'avare
205 qui trouve une pierre à la place de son trésor, le poète qui a laissé rouler dans le feu le manuscrit unique de son plus bel ouvrage, n'ont point un air plus atterré et plus inconsolable. Le sang abandonna complètement sa charmante figure, et elle devint d'une blancheur de marbre ; ses beaux bras tombèrent
210 le long de son corps, comme si les muscles en avaient été dénoués, et elle s'appuya contre un pilier, car ses jambes fléchissaient et se dérobaient sous elle. Pour moi, livide, le front inondé d'une sueur plus sanglante que celle du Calvaire[36], je me dirigeai en chancelant vers la porte de
215 l'église ; j'étouffais ; les voûtes s'aplatissaient sur mes épaules, et il me semblait que ma tête soutenait seule tout le poids de la coupole.

Comme j'allais franchir le seuil, une main s'empara brus-quement de la mienne ; une main de femme ! Je n'en avais
220 jamais touché. Elle était froide comme la peau d'un serpent, et l'empreinte m'en resta brûlante comme la marque d'un fer rouge. C'était elle. « Malheureux ! malheureux ! qu'as-tu fait ? » me dit-elle à voix basse ; puis elle disparut dans la foule.

---

33. Pointues et tranchantes.   **35.** La Vierge après la mort de Jésus-Christ, son fils.
34. Épées.   **36.** Supplice de Jésus-Christ.

Repérer et analyser

L'énonciation

Le narrateur et le pacte de vérité

– Tout énoncé est produit dans une situation d'énonciation précise. Il convient d'identifier l'énonciateur (celui qui a émis l'énoncé), le destinataire, le lieu, le moment et les circonstances dans lesquels l'énoncé a été produit.

– Dans un récit, le narrateur est celui qui raconte l'histoire. Il peut être personnage de l'histoire (récit à la 1re personne) ou être absent de l'histoire (récit à la 3e personne).

– Dans un récit fantastique, l'histoire est presque toujours racontée par celui qui l'a vécue : le narrateur assure ainsi le lecteur de sa sincérité, scellant avec lui un pacte de vérité.

1 **a.** À quelle personne le narrateur de *La Morte amoureuse* mène-t-il le récit ? Est-il un personnage de l'histoire qu'il raconte ?
b. Quelle fonction le narrateur exerce-t-il dans la vie ? Quel âge a-t-il lorsqu'il raconte cette histoire ? En quoi ces informations constituent-elles pour le lecteur une garantie de vérité ?

2 La confession

La confession est le récit d'une faute. Elle renvoie au genre religieux.

a. À qui le narrateur peut-il raconter son histoire ? Selon vous, le destinataire du récit exerce-t-il la même fonction que le narrateur ? Justifiez votre réponse. En quoi cet élément est-il une autre garantie de vérité ?
b. En quoi le début se présente-t-il comme une confession ? Quelle est la faute que le narrateur dit avoir commise ? Appuyez-vous sur la première phrase et sur le lexique du mal (l. 1 à 30).

Les temps et les indices liés à l'énonciation

Le présent d'énonciation (temps de référence de l'énoncé ancré) renvoie à des actions ou des états qui se produisent ou qui existent au moment de l'énonciation (moment où on parle, où on écrit). Les autres temps liés à l'énonciation sont le passé composé, l'imparfait, le futur : ils expriment des actions passées ou futures par rapport au moment de l'énonciation.

Les adverbes de temps et de lieu qui se réfèrent à la situation d'énonciation (ou indices d'énonciation) sont : aujourd'hui, hier, demain, ici.

3 **a.** Relisez les lignes 1 à 10 : quels sont les temps utilisés ? À quels moments différents renvoient-ils ?

b. Relevez dans la suite du texte un ou deux autres passages au présent d'énonciation. Montrez que le narrateur cherche à donner de la crédibilité à ses propos.

Le récit rétrospectif

Il arrive que le narrateur fasse le récit d'une histoire qu'il a vécue ou dont il a été le témoin dans le passé. Il fait alors un récit qu'on appelle rétrospectif.
Il procède à un retour en arrière, c'est-à-dire qu'il rompt l'ordre chronologique pour raconter après coup des faits antérieurs.

4 Quels sont les événements qui ont bouleversé la vie du narrateur et dont il se propose de faire le récit (l. 6 à 34)?

5 **a.** À quelle ligne le narrateur effectue-t-il plus particulièrement un retour en arrière? Appuyez-vous sur le temps de l'indicatif employé. À quelle époque de sa vie remonte-t-il?

b. Quelles informations le narrateur fournit-il sur cette période? Quel est l'intérêt de ce retour en arrière?

Le rythme narratif

Le rythme narratif découle du rapport entre la durée des événements racontés et le nombre de lignes ou de pages que le narrateur consacre à leur récit. Pour ralentir le rythme, le narrateur peut présenter une scène en détail et y consacrer plusieurs pages; pour accélérer le rythme, il peut passer sous silence les événements (ellipse) ou les résumer en une ou deux lignes (sommaire).

6 **a.** Combien de lignes sont ici consacrées à l'enfance du narrateur et à son état d'esprit durant cette période?

b. Quel est ensuite l'événement qui est raconté jusqu'à la fin de l'extrait? Quelle est sa durée? Pour quelle raison le narrateur s'attarde-t-il sur cet événement?

Le cadre

Dans un récit fantastique, les événements se déroulent dans un cadre précis qui renvoie à un monde réel et normal: ainsi l'intrusion de l'étrange et du surnaturel prendra encore plus de relief.

7 **a.** Relevez quelques exemples d'éléments qui renvoient à un cadre réaliste (date et lieu de l'ordination, détails de la cérémonie).

b. Quel est l'effet produit pour la crédibilité de l'histoire racontée?

Les événements vécus par le narrateur

Le héros des récits fantastiques se distingue souvent des autres hommes. Généralement, il est jeune et vient tout juste d'accéder à l'âge adulte. Il apprécie la solitude et connaît un vide affectif qui crée un terrain favorable à la manifestation du phénomène fantastique.

Avant l'ordination

8 **a.** En quoi le narrateur se distingue-t-il du reste des hommes? Quelles études a-t-il faites?

b. Montrez, en citant le texte, qu'il a vécu dans un lieu fermé et qu'il n'a aucune expérience de la vie.

c. Quel est l'état intérieur du personnage juste avant son ordination?

d. Pour quelle raison le narrateur insiste-t-il sur cet état?

Au moment de l'ordination : la rencontre amoureuse

La rencontre amoureuse est un *topos* ou lieu commun de la littérature. La rencontre romanesque obéit généralement à trois étapes:
– la naissance de la passion par le regard;
– l'échange ou la communication entre les partenaires (regard, parole);
– le franchissement ou l'annulation de la distance (le rapprochement physique).

9 **a.** Montrez, en citant le texte, que chacun des personnages se livre à un jeu de regards.

b. Montrez, en citant le texte, que le regard équivaut à un échange de paroles. Quelles propositions la jeune femme fait-elle au narrateur à travers son regard? Quel est le temps verbal utilisé de façon dominante? Quel est l'effet produit?

c. À quel moment y a-t-il contact physique?

Les réactions du narrateur

10 **a.** À qui le narrateur se compare-t-il pour faire comprendre le bouleversement qu'il éprouve (l. 78-79)?

b. Relevez, à partir de la ligne 137, les expressions qui montrent que le narrateur est troublé par cette rencontre.

11 **a.** Quels sentiments opposés le narrateur ressent-il au moment de prononcer ses vœux? Pour quelle raison les prononce-t-il en dépit de ce qu'il vient de vivre?

b. « C'en était fait, j'étais prêtre. » (l. 200): quelle impression cette phrase produit-elle sur le lecteur?

Le portrait de la jeune femme

Les éléments décrits

Chez Gautier, la couleur des yeux revêt une dimension fortement symbolique.
Les yeux verts sont associés au mal par leur connotation reptilienne (le vert
renvoie à la vipère, au serpent).

12 **a.** Relevez les différents éléments que le narrateur a retenus pour
effectuer le portrait, lignes 98 à 130 (allure générale, visage, vêtements). Quel est l'ordre de la description ?
b. Sur quelle partie du visage s'attarde-t-il ? Précisez la couleur des
yeux de la jeune femme.

Les indices de subjectivité

On appelle indices de subjectivité l'ensemble des éléments qui, dans un énoncé,
révèlent la présence ou le jugement de l'énonciateur.
Celui-ci peut :
– manifester son émotion, par le choix d'un type de phrases, d'interjections
comme « Oh ! », « Hélas ! » ;
– exprimer un jugement par le choix d'un lexique évaluatif (en utilisant par exemple
des adjectifs comme « beau », « laid », « adorable »…) ou par l'utilisation de super-
latifs (« le plus », « très »…) ou d'hyperboles (exagérations), par exemple « extrême »,
« unique »…

13 Relevez lignes 71 à 130 les interjections, les types de phrases, le
lexique valorisant, les expressions hyperboliques qui se réfèrent à
la femme et qui traduisent la subjectivité du narrateur. Quelle image
le narrateur donne-t-il de la jeune femme ?

La mise en place du fantastique

Les indices d'étrangeté

La plupart des récits fantastiques présentent des paliers vers le surnaturel :
des indices étranges ou inquiétants s'insinuent dans la réalité familière, prépa-
rant ainsi le lecteur à l'irruption de l'inconnu.

14 En quoi la femme vue par le narrateur présente-t-elle un caractère étrange et inquiétant ? Appuyez-vous sur des éléments précis
(effets de lumière et d'obscurité, jeux de regards, contact physique,
couleur du visage, paroles suggérées ou prononcées).

Les symboles

Un symbole est une représentation concrète d'une réalité abstraite. Par exemple, la colombe est le symbole de la paix.

15 À quel animal la femme est-elle comparée à deux reprises dans cet extrait ? À quel épisode de la Bible fait-il référence ? Que symbolise-t-il ?

Le thème du double

Le thème du double est un des motifs du récit fantastique. On peut distinguer le double par multiplication (un personnage et son sosie) ou le double par division (un personnage revêt deux personnalités contradictoires, une bonne et une mauvaise). Les contradictions se manifestent par des antithèses (figures de style exprimant l'opposition) et figurent souvent le bien et le mal.

16 a. Quelle est la double vie dont parle le narrateur ? Relevez pour répondre les termes qui s'opposent de la ligne 16 à la ligne 22. Que symbolisent le jour et la nuit ?
b. Comment le narrateur explique-t-il cette double vie ? Qu'introduit la parenthèse ligne 9 ?
17 Au début du portrait, à qui la jeune femme est-elle comparée ? Et ensuite ? Quelle semble être sa double nature ?

La transgression

La transgression est un ressort du récit fantastique : le héros a commis un acte qui appartient au domaine de l'interdit et qui renvoie au mal (il peut s'agir d'une violation de l'ordre du monde, d'un pacte avec le démon).

18 Quelle transgression le narrateur a-t-il commis ? Pensez à sa fonction.

Le titre et les hypothèses de lecture

19 À l'issue de ces premières pages, quelles hypothèses le lecteur est-il amené à émettre sur la suite de l'histoire ? Appuyez-vous pour répondre sur le titre de la nouvelle et sur les expressions utilisées par le narrateur pour présenter l'aventure qu'il a vécue : « une histoire singulière et terrible » (l. 2), « une illusion singulière et diabolique » (l. 7-8), « une fascination inexplicable » (l. 57-58).

Écrire

Rédiger un portrait

20 Imaginez que le narrateur soit un personnage féminin et qu'il soit ébloui par un très beau jeune homme dont il sent le regard dans l'assistance. Vous vous inspirerez du portrait de la belle inconnue (l. 98 à 130) et vous introduirez quelques indices inquiétants.

Écrire une tirade

21 Par son regard, la belle inconnue adresse un discours au jeune homme. Imaginez que celui-ci lui réponde et qu'il lui explique ce qu'il ressent et pourquoi il ne peut accepter la déclaration d'amour de la jeune femme.

Comparer

L'Éducation sentimentale, Gustave Flaubert (1869)

« Ce fut comme une apparition : elle était assise, au milieu du banc, toute seule ; ou du moins il ne distingua personne, dans l'éblouissement que lui envoyèrent ses yeux. En même temps qu'il passait, elle leva la tête ; il fléchit involontairement les épaules ; et, quand il se fut mis plus loin, du même côté, il la regarda.

Elle avait un large chapeau de paille, avec des rubans roses qui palpitaient au vent derrière elle. Ses bandeaux noirs, contournant la pointe de ses grands sourcils, descendaient très bas et semblaient presser amoureusement l'ovale de sa figure. Sa robe de mousseline claire, tachetée de petits pois, se répandait à plis nombreux. Elle était en train de broder quelque chose ; et son nez droit, son menton, toute sa personne se découpait sur le fond de l'air bleu.

Comme elle gardait la même attitude, il fit plusieurs tours de droite et de gauche pour dissimuler sa manœuvre ; puis il se planta tout près de son ombrelle, posée contre le banc, et il affectait d'observer une chaloupe sur la rivière.

Jamais il n'avait vu cette splendeur de sa peau brune, la séduction de sa taille, ni cette finesse des doigts que la lumière traversait.

Il considérait son panier à ouvrage avec ébahissement, comme une chose extraordinaire. Quels étaient son nom, sa demeure, sa vie, son passé ? Il souhaitait connaître les meubles de sa chambre, toutes les robes qu'elle avait portées, les gens qu'elle fréquentait ; et le désir de la possession physique même disparaissait sous une envie plus profonde, dans une curiosité douloureuse qui n'avait pas de limites.

[…] Cependant, un long châle à bandes violettes était placé derrière son dos, sur le bordage de cuivre. Elle avait dû, bien des fois, au milieu de la mer, durant les soirs humides, en envelopper sa taille, s'en couvrir les pieds, dormir dedans ! Mais, entraîné par les franges, il glissait peu à peu, il allait tomber dans l'eau ; Frédéric fit un bond et le rattrapa. Elle lui dit :

– Je vous remercie, monsieur.

Leurs yeux se rencontrèrent. »

Gustave Flaubert, *L'Éducation sentimentale*, 1869.

22 Comparez le récit de la rencontre entre Mme Arnoux et Frédéric Moreau dans *L'Éducation sentimentale* avec le récit de cet extrait de *La Morte amoureuse*.

Extrait 2

« Clarimonde, au palais Concini »

Le vieil évêque passa ; il me regarda d'un air sévère. Je faisais la plus étrange contenance du monde ; je pâlissais, je rougissais, j'avais des éblouissements. Un de mes camarades eut pitié de moi, il me prit et m'emmena ; j'aurais été inca-
5 pable de retrouver tout seul le chemin du séminaire. Au détour d'une rue, pendant que le jeune prêtre tournait la tête d'un autre côté, un page nègre, bizarrement vêtu, s'approcha de moi, et me remit, sans s'arrêter dans sa course, un petit portefeuille à coins d'or ciselés, en me faisant signe de le
10 cacher ; je le fis glisser dans ma manche et l'y tins jusqu'à ce que je fusse seul dans ma cellule. Je fis sauter le fermoir, il n'y avait que deux feuilles avec ces mots : « Clarimonde, au palais Concini[1]. » J'étais alors si peu au courant des choses de la vie, que je ne connaissais pas Clarimonde, malgré sa
15 célébrité, et que j'ignorais complètement où était situé le palais Concini. Je fis mille conjectures, plus extravagantes les unes que les autres ; mais à la vérité, pourvu que je pusse la revoir, j'étais fort peu inquiet de ce qu'elle pouvait être, grande dame ou courtisane.
20 Cet amour né tout à l'heure s'était indestructiblement enraciné ; je ne songeai même pas à essayer de l'arracher, tant je sentais que c'était là chose impossible. Cette femme s'était complètement emparée de moi, un seul regard avait suffi pour me changer ; elle m'avait soufflé sa volonté ; je ne vivais
25 plus dans moi, mais dans elle et par elle. Je faisais mille extra-

| **1.** Célèbre famille italienne qui habitait Florence.

vacances, je baisais sur ma main la place qu'elle avait touchée, et je répétais son nom des heures entières. Je n'avais qu'à fermer les yeux pour la voir aussi distinctement que si elle eût été présente en réalité, et je me redisais ces mots, qu'elle
30 m'avait dits sous le portail de l'église : « Malheureux ! malheureux ! qu'as-tu fait ? » Je comprenais toute l'horreur de ma situation, et les côtés funèbres et terribles de l'état que je venais d'embrasser[2] se révélaient clairement à moi. Être prêtre ! c'est-à-dire chaste, ne pas aimer, ne distinguer ni le sexe ni l'âge,
35 se détourner de toute beauté, se crever les yeux, ramper sous l'ombre glaciale d'un cloître ou d'une église, ne voir que des mourants, veiller auprès de cadavres inconnus et porter soi-même son deuil sur sa soutane noire[3], de sorte que l'on peut faire de votre habit un drap pour votre cercueil !
40 Et je sentais la vie monter en moi comme un lac intérieur qui s'enfle et qui déborde ; mon sang battait avec force dans mes artères ; ma jeunesse, si longtemps comprimée, éclatait tout d'un coup comme l'aloès[4] qui met cent ans à fleurir et qui éclôt avec un coup de tonnerre.
45 Comment faire pour revoir Clarimonde ? Je n'avais aucun prétexte pour sortir du séminaire, ne connaissant personne de la ville ; je n'y devais même pas rester, et j'y attendais seulement que l'on me désignât la cure que je devais occuper. J'essayai de desceller les barreaux de la fenêtre ;
50 mais elle était à une hauteur effrayante, et n'ayant pas d'échelle, il n'y fallait pas penser. Et d'ailleurs je ne pouvais descendre que de nuit ; et comment me serais-je conduit dans l'inextricable dédale des rues ? Toutes ces difficultés, qui n'eussent rien été pour d'autres, étaient immenses pour
55 moi, pauvre séminariste, amoureux d'hier, sans expérience, sans argent et sans habits.

| **2.** De prendre. | **3.** Longue robe noire que portaient les prêtres. | **4.** Plante exotique.

Ah ! si je n'eusse pas été prêtre, j'aurais pu la voir tous les jours ; j'aurais été son amant, son époux, me disais-je dans mon aveuglement ; au lieu d'être enveloppé dans mon triste
60 suaire[5], j'aurais des habits de soie et de velours, des chaînes d'or, une épée et des plumes comme les beaux jeunes cavaliers. Mes cheveux, au lieu d'être déshonorés par une large tonsure[6], se joueraient autour de mon cou en boucles ondoyantes. J'aurais une belle moustache cirée[7], je serais un vaillant. Mais
65 une heure passée devant un autel, quelques paroles à peine articulées, me retranchaient à tout jamais du nombre des vivants, et j'avais scellé moi-même la pierre de mon tombeau, j'avais poussé de ma main le verrou de ma prison !

Je me mis à la fenêtre. Le ciel était admirablement bleu, les
70 arbres avaient mis leur robe de printemps ; la nature faisait parade d'une joie ironique. La place était pleine de monde ; les uns allaient, les autres venaient ; de jeunes muguets[8] et de jeunes beautés, couple par couple, se dirigeaient du côté du jardin et des tonnelles. Des compagnons passaient en chantant des
75 refrains à boire ; c'était un mouvement, une vie, un entrain, une gaieté qui faisaient péniblement ressortir mon deuil et ma solitude. Une jeune mère, sur le pas de la porte, jouait avec son enfant ; elle baisait sa petite bouche rose, encore emperlée de gouttes de lait, et lui faisait, en l'agaçant, mille de ces divines
80 puérilités que les mères seules savent trouver. Le père, qui se tenait debout à quelque distance, souriait doucement à ce charmant groupe, et ses bras croisés pressaient sa joie sur son cœur. Je ne pus supporter ce spectacle ; je fermai la fenêtre, et je me jetai sur mon lit avec une haine et une jalousie effroyables dans
85 le cœur, mordant mes doigts et ma couverture comme un tigre à jeun depuis trois jours.

---

5. Drap mortuaire, désigne ici la soutane.
6. Cercle rasé au sommet de la tête de certains hommes d'Église.

7. Dont la forme est donnée par une sorte de gel.
8. Jeunes hommes élégants.

Je ne sais pas combien je restai ainsi ; mais, en me retournant dans un mouvement de spasme furieux, j'aperçus l'abbé
Sérapion[9] qui se tenait debout au milieu de la chambre et qui
90 me considérait attentivement. J'eus honte de moi-même, et,
laissant tomber ma tête sur ma poitrine, je voilai mes yeux
avec mes mains.

« Romuald, mon ami, il se passe quelque chose d'extraordinaire en vous, me dit Sérapion au bout de quelques minutes
95 de silence ; votre conduite est vraiment inexplicable ! Vous,
si pieux, si calme et si doux, vous vous agitez dans votre
cellule comme une bête fauve. Prenez garde, mon frère, et
n'écoutez pas les suggestions du diable ; l'esprit malin, irrité
de ce que vous vous êtes à tout jamais consacré au Seigneur,
100 rôde autour de vous comme un loup ravissant[10] et fait un
dernier effort pour vous attirer à lui. Au lieu de vous laisser
abattre, mon cher Romuald, faites-vous une cuirasse de
prières, un bouclier de mortifications[11], et combattez vaillam-
ment l'ennemi ; vous le vaincrez. L'épreuve est nécessaire à
105 la vertu et l'or sort plus fin de la coupelle[12]. Ne vous effrayez
ni ne vous découragez ; les âmes les mieux gardées et les plus
affermies ont eu de ces moments. Priez, jeûnez, méditez, et
le mauvais esprit se retirera. »

Le discours de l'abbé Sérapion me fit rentrer en moi-même,
110 et je devins un peu plus calme. « Je venais vous annoncer votre
nomination à la cure de C*** ; le prêtre qui la possédait vient
de mourir, et monseigneur l'évêque m'a chargé d'aller vous y
installer ; soyez prêt pour demain. » Je répondis d'un signe de
tête que je le serais, et l'abbé se retira. J'ouvris mon missel[13],
115 et je commençai à lire des prières ; mais ces lignes se confon-

---

9. Gautier a emprunté le nom de ce
personnage aux contes fantastiques
d'Hoffmann.
10. Prêt à vous emporter (sens étymologique).

11. Privations que l'on s'impose.
12. Petit vase dans lequel les alchimistes
séparaient l'or des autres métaux.
13. Livre qui contient les textes de la messe.

dirent bientôt sous mes yeux ; le fil des idées s'enchevêtra dans mon cerveau, et le volume me glissa des mains sans que j'y prisse garde.

120 Partir demain sans l'avoir revue ! ajouter encore une impossibilité à toutes celles qui étaient déjà entre nous ! perdre à tout jamais l'espérance de la rencontrer, à moins d'un miracle ! Lui écrire ? par qui ferais-je parvenir ma lettre ? Avec le sacré caractère dont j'étais revêtu, à qui s'ouvrir, se fier ? J'éprouvais une anxiété terrible. Puis, ce que l'abbé Sérapion 125 m'avait dit des artifices[14] du diable me revenait en mémoire ; l'étrangeté de l'aventure, la beauté surnaturelle de Clarimonde, l'éclat phosphorique[15] de ses yeux, l'impression brûlante de sa main, le trouble où elle m'avait jeté, le changement subit qui s'était opéré en moi, ma piété évanouie en 130 un instant, tout cela prouvait clairement la présence du diable, et cette main satinée n'était peut-être que le gant dont il avait recouvert sa griffe. Ces idées me jetèrent dans une grande frayeur, je ramassai le missel qui de mes genoux était roulé à terre, et je me remis en prières.

135 Le lendemain, Sérapion me vint prendre ; deux mules nous attendaient à la porte, chargées de nos maigres valises ; il monta l'une et moi l'autre tant bien que mal. Tout en parcourant les rues de la ville, je regardais à toutes les fenêtres et à tous les balcons si je ne verrais pas Clarimonde ; mais il était 140 trop matin, et la ville n'avait pas encore ouvert les yeux. Mon regard tâchait de plonger derrière les stores et à travers les rideaux de tous les palais devant lesquels nous passions. Sérapion attribuait sans doute cette curiosité à l'admiration que me causait la beauté de l'architecture, car il ralentissait 145 le pas de sa monture pour me donner le temps de voir. Enfin nous arrivâmes à la porte de la ville et nous commençâmes

| **14.** Ruses. | **15.** Fluorescent.

à gravir la colline. Quand je fus tout en haut, je me retournai pour regarder une fois encore les lieux où vivait Clarimonde. L'ombre d'un nuage couvrait entièrement la ville ; ses toits
150 bleus et rouges étaient confondus dans une demi-teinte générale, où surnageaient çà et là, comme de blancs flocons d'écume, les fumées du matin. Par un singulier effet d'optique, se dessinait, blond et doré sous un rayon unique de lumière, un édifice qui surpassait en hauteur les constructions voisines,
155 complètement noyées dans la vapeur ; quoiqu'il fût à plus d'une lieue, il paraissait tout proche. On en distinguait les moindres détails, les tourelles, les plates-formes, les croisées[16], et jusqu'aux girouettes en queue d'aronde[17].

« Quel est donc ce palais que je vois tout là-bas éclairé d'un
160 rayon du soleil ? » demandai-je à Sérapion. Il mit sa main au-dessus de ses yeux, et, ayant regardé, il me répondit : « C'est l'ancien palais que le prince Concini a donné à la courtisane Clarimonde ; il s'y passe d'épouvantables choses. »

En ce moment, je ne sais encore si c'est une réalité ou une
165 illusion, je crus voir y glisser sur la terrasse une forme svelte et blanche qui étincela une seconde et s'éteignit. C'était Clarimonde !

Oh ! savait-elle qu'à cette heure, du haut de cet âpre chemin qui m'éloignait d'elle, et que je ne devais plus redescendre,
170 ardent et inquiet, je couvais de l'œil le palais qu'elle habitait, et qu'un jeu dérisoire de lumière semblait rapprocher de moi, comme pour m'inviter à y entrer en maître ? Sans doute, elle le savait, car son âme était trop sympathiquement liée[18] à la mienne pour n'en point ressentir les moindres ébranlements,
175 et c'était ce sentiment qui l'avait poussée, encore enveloppée de ses voiles de nuit, à monter sur le haut de la terrasse, dans la glaciale rosée du matin.

| **16.** Fenêtres. | **17.** Comme une queue d'hirondelle. | **18.** En communion d'esprit.

E. Burne-Jones (1833-1898), « The Nymph of the stars », 1888, London, Sotheby's.

L'ombre gagna le palais, et ce ne fut plus qu'un océan immobile de toits et de combles[19] où l'on ne distinguait rien
180 qu'une ondulation montueuse[20]. Sérapion toucha sa mule, dont la mienne prit aussitôt l'allure, et un coude du chemin me déroba pour toujours la ville de S…, car je n'y devais pas revenir. Au bout de trois journées de route par des campagnes assez tristes, nous vîmes poindre à travers les arbres le coq
185 du clocher de l'église que je devais desservir ; et, après avoir suivi quelques rues tortueuses bordées de chaumières et de courtils[21], nous nous trouvâmes devant la façade qui n'était pas d'une grande magnificence. Un porche orné de quelques nervures et de deux ou trois piliers de grès grossièrement
190 taillés, un toit en tuiles et des contreforts du même grès que les piliers, c'était tout : à gauche le cimetière tout plein de hautes herbes, avec une grande croix de fer au milieu ; à droite et dans l'ombre de l'église, le presbytère. C'était une maison d'une simplicité extrême et d'une propreté aride.
195 Nous entrâmes ; quelques poules picotaient sur la terre de rares grains d'avoine ; accoutumées apparemment à l'habit noir des ecclésiastiques, elles ne s'effarouchèrent point de notre présence et se dérangèrent à peine pour nous laisser passer. Un aboi éraillé et enroué se fit entendre, et nous vîmes
200 accourir un vieux chien.

C'était le chien de mon prédécesseur. Il avait l'œil terne, le poil gris et tous les symptômes de la plus haute vieillesse où puisse atteindre un chien. Je le flattai doucement de la main, et il se mit aussitôt à marcher à côté de moi avec un air de
205 satisfaction inexprimable. Une femme assez âgée, et qui avait été la gouvernante de l'ancien curé, vint aussi à notre rencontre, et, après m'avoir fait entrer dans une salle basse, me demanda si mon intention était de la garder. Je lui répondis

---

| **19.** Greniers. | **20.** Accidentée. | **21.** Petits jardins des maisons paysannes.

que je la garderais, elle et le chien, et aussi les poules, et tout
210 le mobilier que son maître lui avait laissé à sa mort, ce qui la
fit entrer dans un transport de joie, l'abbé Sérapion lui ayant
donné sur-le-champ le prix qu'elle en voulait.

Mon installation faite, l'abbé Sérapion retourna au séminaire. Je demeurai donc seul et sans autre appui que moi-
215 même. La pensée de Clarimonde recommença à m'obséder,
et, quelques efforts que je fisse pour la chasser, je n'y parve-
nais pas toujours. Un soir, en me promenant dans les allées
bordées de buis de mon petit jardin, il me sembla voir à travers
la charmille[22] une forme de femme qui suivait tous mes mouve-
220 ments, et entre les feuilles étinceler les deux prunelles vert de
mer; mais ce n'était qu'une illusion, et, ayant passé de l'autre
côté de l'allée, je n'y trouvai rien qu'une trace de pied sur le
sable, si petit qu'on eût dit un pied d'enfant. Le jardin était
entouré de murailles très hautes; j'en visitai tous les coins et
225 recoins, il n'y avait personne. Je n'ai jamais pu m'expliquer
cette circonstance qui, du reste, n'était rien à côté des étranges
choses qui me devaient arriver. Je vivais ainsi depuis un an,
remplissant avec exactitude tous les devoirs de mon état,
priant, jeûnant, exhortant et secourant les malades, faisant
230 l'aumône jusqu'à me retrancher les nécessités les plus indis-
pensables. Mais je sentais au-dessus de moi une aridité
extrême, et les sources de la grâce m'étaient fermées. Je ne
jouissais pas de ce bonheur que donne l'accomplissement d'une
sainte mission; mon idée était ailleurs, et les paroles de Clari-
235 monde me revenaient souvent sur les lèvres comme une espèce
de refrain involontaire. O frère, méditez bien ceci! Pour avoir
levé une seule fois le regard sur une femme, pour une faute en
apparence si légère, j'ai éprouvé pendant plusieurs années les
plus misérables agitations: ma vie a été troublée à tout jamais.

| **22.** Verdure.

Repérer et analyser

L'action et le mode de narration

L'écoulement du temps, les scènes

1 Évaluez la durée de l'action entre le début et la fin de l'extrait. Appuyez-vous sur les indications temporelles.

2 Délimitez les différentes scènes présentes dans l'extrait (vous citerez la phrase qui ouvre la scène et celle qui la clôt).
– Scène dans laquelle le narrateur apprend le nom de la femme aimée : dans quelles circonstances l'apprend-il ?
– Scène dans laquelle le narrateur contemple un lieu et regarde lui-même une scène : où se trouve-t-il et que voit-il ?
– Scène entre le narrateur et Sérapion : dans quel lieu se déroule-t-elle ?
– Scène présentant le trajet, dans laquelle le narrateur s'arrête pour contempler le palais Concini : quel est le moment de la journée ? Par quel procédé le narrateur donne-t-il l'illusion de la durée ?
– Scène de l'installation : qui sont les personnages en présence ?
– Scène dans le jardin.

Les paroles rapportées

Le narrateur peut rapporter les paroles des personnages :
– soit au style direct en les citant telles qu'elles ont été prononcées (ex. : Il lui dit : « Je viendrai te voir ») ;
– soit au style indirect en les intégrant à la narration à l'aide d'un verbe de parole suivi d'une conjonction de subordination (ex. : Il lui dit qu'il viendrait la voir).

3 **a.** Quelles sont les paroles que le narrateur a choisi de rapporter au style direct ? Justifiez ce choix.
b. En quoi les paroles rapportées permettent-elles au lecteur de connaître le prénom du narrateur ? Quel est-il ?

4 Selon quel style le narrateur rapporte-t-il le dialogue entre la gouvernante du curé et lui-même lors de son arrivée ? Justifiez également ce choix.

Ellipses et sommaires (voir p. 19)

5 Combien de temps s'écoule entre les scènes ? Appuyez-vous sur le relevé des ellipses ou des sommaires. Pourquoi ces ellipses ne gênent-elles pas la compréhension du récit ?

6 **a.** En quoi la fin de l'extrait présente-t-elle une accélération du récit ? Combien de temps s'écoule après la dernière scène ?
b. Que se passe-t-il durant ce temps ? Quelles sont les actions qui se répètent (l. 227 à 231) ? À quel mode et à quel temps ces actions sont-elles exprimées ?

Les personnages

L'état intérieur du narrateur

7 **a.** Montrez, en citant le texte, que le narrateur présente la passion amoureuse qui l'habite comme une sorte d'envoûtement. Quelles pensées le hantent sans cesse ? À quelles extravagances se livre-t-il ?
b. « J'éprouvais une anxiété terrible » (l. 124) : identifiez les types de phrases qui traduisent cette anxiété (l. 119 à 123).

8 **a.** Relisez les passages lignes 31 à 39 où le narrateur évoque sa vie de prêtre. Sur quel ton le fait-il ? Appuyez-vous sur le type des phrases.
b. Relevez le champ lexical dominant dans ce passage. Quelle impression se dégage de cette existence ?

9 Montrez que le narrateur mène un violent combat intérieur. Pour répondre :
– relisez les lignes 40 à 44 et montrez que le champ lexical dominant du passage s'oppose au champ lexical des lignes 31 à 39 ;
– relisez les lignes 57 à 68 et identifiez la figure de style qui structure le passage. Quels sont les éléments qui s'opposent ? Identifiez ensuite le mode et le temps verbal dominant. Quel sentiment traduisent-ils ?

10 Quel sentiment le narrateur éprouve-t-il lorsqu'il regarde par la fenêtre du séminaire (l. 69 à 86) ? De quoi le paysage contemplé est-il le symbole ?

11 a. Pour chasser Clarimonde de ses pensées, dans quelles occupations le narrateur se réfugie-t-il ? Justifiez votre réponse.
b. Quel est l'état d'esprit du narrateur à la fin de l'extrait ? En quoi son comportement social s'oppose-t-il à son être profond ?

La mise en place du fantastique

L'avertissement, le motif du diable

Au début d'un récit fantastique, le personnage principal reçoit un avertissement dont il doit tenir compte, sous peine d'être entraîné dans d'étranges, voire dramatiques aventures.

Le diable est une figure majeure de l'univers fantastique. Il peut se métamorphoser et use de charmes divers pour séduire ses victimes et tenter de les entraîner dans le mal.

12 a. Comment l'abbé Sérapion désigne-t-il le jeune prêtre dans son discours ? Que pouvez-vous en conclure sur les liens qui unissent les deux personnages ?
b. Quel avertissement donne-t-il au narrateur ?

13 a. Relevez toutes les reprises nominales qui désignent le diable. Quelle explication l'abbé Sérapion donne-t-il du trouble de Romuald ? Cette explication est-elle juste ?
b. Quelle solution lui propose-t-il ? Montrez, en relevant tous les mots qui renvoient aux armes et à la lutte, que le jeune prêtre devra mener un véritable combat contre le diable.

Le cadre et les circonstances

14 a. Caractérisez le cadre (la maison, l'environnement) dans lequel le narrateur vient s'installer. Quelle est l'impression produite par ce cadre ?
b. Ce cadre est-il réaliste ? Dans quel pays l'action peut-elle se dérouler ?

15 a. Qu'est-il arrivé au prêtre dont le narrateur prend la place ?
b. Quel âge ont les personnages (la gouvernante, le chien) ?
c. Quel est l'effet produit ?

Les indices d'étrangeté, le principe d'hésitation, les explications fournies

Un récit fantastique présente souvent des éléments étranges pour lesquels le héros tente de trouver une explication rationnelle.

Le héros d'un récit fantastique hésite, doute de la réalité des phénomènes qu'il perçoit; il cherche néanmoins à les décrire. Les éléments qui indiquent le degré de certitude du narrateur par rapport à son énoncé s'appellent des modalisateurs : ce sont des verbes comme « sembler », « paraître », « apparaître », et l'emploi du conditionnel qui invite à penser que ce qui est vu est incertain. La modalité interrogative indique aussi que le réel soulève des interrogations.

16 a. Quel est le bâtiment dont le narrateur distingue les moindres détails alors qu'il se trouve sur la colline face à la ville ? En quoi ce fait apparaît-il comme étrange ?
b. Quel est le moment de la journée ? Quelle explication scientifique le narrateur propose-t-il ?
c. Quel personnage le narrateur croit-il apercevoir ? Relevez les modalisateurs (l. 164 à 167), ici les verbes, qui montrent qu'il n'est pas sûr de ce qu'il a vu.
d. Quelle explication le narrateur donne-t-il de cet épisode ? Ses explications sont-elles fondées sur la raison ?

17 a. Montrez, en citant le texte, que le narrateur vit le même genre de phénomène alors qu'il se trouve dans le petit jardin du presbytère.
b. Quel est le moment de la journée ? En quoi favorise-t-il la confusion ?
c. Montrez que là encore, le narrateur n'est pas sûr de ce qu'il a vu.

Les traces du surnaturel

Le surnaturel laisse parfois des preuves visibles de son passage. Ces preuves renforcent encore l'hésitation propre au fantastique.

18 Quelles preuves indiquent clairement que le narrateur a, dans le petit jardin, été victime d'une illusion ? Quel élément étrange et inexpliqué subsiste tout de même ?

La visée et les hypothèses de lecture

19 À la fin de l'extrait, à qui s'adresse le narrateur ? Rappelez la situation d'énonciation. Quelle leçon cherche-t-il à transmettre à son interlocuteur ?

20 L'anticipation

Il arrive que le narrateur donne des indices sur la suite du récit.

Relevez une anticipation dans le dernier paragraphe de l'extrait. En quoi incite-t-elle le lecteur à poursuivre sa lecture ? Imaginez ce qui a pu arriver au narrateur.

Écrire

Exercice de réécriture

21 Récrivez le passage des lignes 201 à 212 sous forme d'un dialogue théâtral entre la vieille femme, l'abbé Sérapion et Romuald.

Imaginer un récit rétrospectif

22 Imaginez que Romuald raconte à Sérapion ce qui s'est passé pendant son ordination et les souffrances qu'il éprouve depuis. Vous commencerez votre récit par : « En me retournant dans un mouvement de spasme furieux, j'aperçus l'abbé Sérapion qui se tenait debout au milieu de ma chambre et qui me considérait attentivement. J'eus honte de moi-même, et, laissant tomber ma tête sur ma poitrine, je voilai mes yeux avec mes mains. Je décidai alors de tout lui raconter. Je commençai par ces paroles : … »

Écrire une lettre

23 Relisez le passage qui raconte l'arrivée de Romuald au presbytère (l. 183 à 212). Imaginez la lettre que le personnage envoie le soir même à sa mère pour lui raconter son installation.

Comparer

La Chevelure, Guy de Maupassant (1884)

Le héros de cette histoire vient de trouver une natte de cheveux blonds dans le tiroir secret d'un meuble qu'il a acheté chez un antiquaire.

« Quand je rentrai chez moi, j'éprouvai un irrésistible besoin de revoir mon étrange trouvaille ; et je la repris, et je sentis, en la touchant, un long frisson qui me courut dans les membres.

Durant quelques jours cependant, je demeurai dans mon état ordinaire, bien que la pensée vive de cette chevelure ne me quittât plus. Dès que je rentrais, il fallait que je la visse et que je la maniasse. Je tournai la clef de l'armoire avec ce frémissement qu'on a en ouvrant la porte de la bien-aimée, car j'avais aux mains et au cœur un besoin confus, singulier, continu, sensuel de tremper mes doigts dans ce ruisseau charmant de cheveux morts.

Puis, quand j'avais fini de la caresser, quand j'avais refermé le meuble, je la sentais là toujours, comme si elle eût été un être vivant, caché, prisonnier ; je la sentais et je la désirais encore ; j'avais de nouveau le besoin impérieux de la reprendre, de la palper, de m'énerver jusqu'au malaise par ce contact froid, glissant, irritant, affolant, délicieux.

Je vécus ainsi un mois ou deux, je ne sais plus. Elle m'obsédait, me hantait. J'étais heureux et torturé, comme dans une attente d'amour, comme après les aveux qui précèdent l'étreinte. […]

Je l'aimais ! Oui, je l'aimais. Je ne pouvais plus me passer d'elle, ni rester une heure sans la revoir.

Et j'attendais… j'attendais… quoi ? Je ne le savais pas. - Elle.

Une nuit je me réveillai brusquement avec la pensée que je ne me trouvais pas seul dans ma chambre.

J'étais seul pourtant. Mais je ne pus me rendormir. »

Guy de Maupassant, *La Chevelure*, 1884.

24 **a.** Quelles sont les manifestations communes du tourment amoureux dans l'extrait de Maupassant et dans celui de Théophile Gautier ?
b. Pourquoi la situation est-elle pourtant tout à fait différente ? Pourquoi la souffrance de Romuald est-elle encore plus forte que celle qu'éprouve le personnage de Maupassant ?

Extrait 3

« Ses yeux s'ouvrirent... »

Je ne vous retiendrai pas plus longtemps sur ces défaites et sur ces victoires intérieures toujours suivies de rechutes plus profondes, et je passerai sur-le-champ à une circonstance décisive. Une nuit l'on sonna violemment à ma porte. La vieille
5 gouvernante alla ouvrir, et un homme au teint cuivré et richement vêtu, mais selon une mode étrangère, avec un long poignard, se dessina sous les rayons de la lanterne de Barbara. Son premier mouvement fut la frayeur ; mais l'homme la rassura, et lui dit qu'il avait besoin de me voir sur-le-champ
10 pour quelque chose qui concernait mon ministère[1]. Barbara le fit monter. J'allais me mettre au lit. L'homme me dit que sa maîtresse, une très grande dame, était à l'article de la mort et désirait un prêtre. Je répondis que j'étais prêt à le suivre ; je pris avec moi ce qu'il fallait pour l'extrême-onction[2] et je
15 descendis en toute hâte. À la porte piaffaient d'impatience deux chevaux noirs comme la nuit, et soufflant sur leur poitrail deux longs flots de fumée. Il me tint l'étrier et m'aida à monter sur l'un, puis il sauta sur l'autre en appuyant seulement une main sur le pommeau[3] de la selle. Il serra les genoux
20 et lâcha les guides à son cheval qui partit comme la flèche. Le mien, dont il tenait la bride, prit aussi le galop et se maintint dans une égalité parfaite. Nous dévorions le chemin ; la terre filait sous nous grise et rayée, et les silhouettes noires des arbres s'enfuyaient comme une armée en déroute. Nous
25 traversâmes une forêt d'un sombre si opaque et si glacial, que je me sentis courir sur la peau un frisson de superstitieuse terreur. Les aigrettes d'étincelles que les fers de nos chevaux

1. Rôle de prêtre.
2. Sacrement donné aux mourants, dans la religion catholique.
3. Partie arrondie d'une selle.

arrachaient aux cailloux laissaient sur notre passage comme
une traînée de feu, et si quelqu'un, à cette heure de nuit, nous
30 eût vus, mon conducteur et moi, il nous eût pris pour deux
spectres à cheval sur le cauchemar. Deux feux follets[4] traversaient de temps en temps le chemin, et les choucas[5] piaulaient
piteusement dans l'épaisseur du bois, où brillaient de loin en
loin les yeux phosphoriques de quelques chats sauvages. La
35 crinière des chevaux s'échevelait de plus en plus, la sueur ruisselait sur leurs flancs, et leur haleine sortait bruyante et pressée
de leurs narines. Mais, quand il les voyait faiblir, l'écuyer pour
les ranimer poussait un cri guttural[6] qui n'avait rien d'humain, et la course recommençait avec furie. Enfin le tourbillon
40 s'arrêta ; une masse noire piquée de quelques points brillants
se dressa subitement devant nous ; les pas de nos montures
sonnèrent plus bruyants sur un plancher ferré[7], et nous
entrâmes sous une voûte qui ouvrait sa gueule sombre entre
deux énormes tours. Une grande agitation régnait dans le
45 château ; des domestiques avec des torches à la main traversaient les cours en tous sens, et des lumières montaient et
descendaient de palier en palier. J'entrevis confusément d'immenses architectures, des colonnes, des arcades, des perrons
et des rampes, un luxe de construction tout à fait royal et
50 féerique. Un page nègre, le même qui m'avait donné les
tablettes de Clarimonde et que je reconnus à l'instant, me vint
aider à descendre, et un majordome[8], vêtu de velours noir
avec une chaîne d'or au col et une canne d'ivoire à la main,
s'avança au-devant de moi. De grosses larmes débordaient de
55 ses yeux et coulaient le long de ses joues sur sa barbe blanche.
« Trop tard ! fit-il en hochant la tête, trop tard ! seigneur
prêtre ; mais, si vous n'avez pu sauver l'âme, venez veiller le

---

4. Petites flammes dues à la combustion
de gaz dans les régions marécageuses.
5. Oiseaux noirs, comme des corneilles.

6. Qui sort de la gorge.
7. Pont-levis.
8. Chef des domestiques.

pauvre corps.» Il me prit par le bras et me conduisit à la salle
funèbre; je pleurais aussi fort que lui, car j'avais compris que
60 la morte n'était autre que cette Clarimonde tant et si folle-
ment aimée. Un prie-Dieu[9] était disposé à côté du lit; une
flamme bleuâtre voltigeant sur une patère[10] de bronze jetait
par toute la chambre un jour faible et douteux, et çà et là
faisait papilloter dans l'ombre quelque arête saillante de
65 meuble ou de corniche. Sur la table, dans une urne ciselée,
trempait une rose blanche fanée dont les feuilles, à l'excep-
tion d'une seule qui tenait encore, étaient toutes tombées au
pied du vase comme des larmes odorantes; un masque noir
brisé, un éventail, des déguisements de toute espèce, traînaient
70 sur les fauteuils et faisaient voir que la mort était arrivée dans
cette somptueuse demeure à l'improviste et sans se faire
annoncer. Je m'agenouillai sans oser jeter les yeux sur le lit,
et je me mis à réciter les psaumes[11] avec une grande ferveur,
remerciant Dieu qu'il eût mis la tombe entre l'idée de cette
75 femme et moi, pour que je pusse ajouter à mes prières son
nom désormais sanctifié. Mais peu à peu cet élan se ralentit,
et je tombai en rêverie. Cette chambre n'avait rien d'une
chambre de mort. Au lieu de l'air fétide et cadavéreux que
j'étais accoutumé à respirer en ces veilles funèbres, une langou-
80 reuse fumée d'essences orientales, je ne sais quelle amoureuse
odeur de femme, nageait doucement dans l'air attiédi. Cette
pâle lueur avait plutôt l'air d'un demi-jour ménagé pour la
volupté que de la veilleuse au reflet jaune qui tremblote près
des cadavres. Je songeais au singulier hasard qui m'avait fait
85 retrouver Clarimonde au moment où je la perdais pour
toujours, et un soupir de regret s'échappa de ma poitrine. Il
me sembla qu'on avait soupiré aussi derrière moi, et je me
retournai involontairement. C'était l'écho. Dans ce mouve-

---

9. Siège sur lequel on s'agenouille pour prier. | 11. Poèmes religieux.
10. Vase sacré dans l'Antiquité.

ment, mes yeux tombèrent sur le lit de parade qu'ils avaient
90 jusqu'alors évité. Les rideaux de damas[12] rouge à grandes
fleurs, relevés par des torsades d'or, laissaient voir la morte
couchée tout de son long et les mains jointes sur la poitrine.
Elle était couverte d'un voile de lin d'une blancheur éblouis-
sante, que le pourpre sombre de la tenture faisait encore
95 mieux ressortir, et d'une telle finesse qu'il ne dérobait en rien
la forme charmante de son corps et permettait de suivre ces
belles lignes onduleuses comme le cou d'un cygne que la mort
même n'avait pu roidir. On eût dit une statue d'albâtre[13] faite
par quelque sculpteur habile pour mettre sur un tombeau de
100 reine, ou encore une jeune fille endormie sur qui il aurait
neigé.

Je ne pouvais plus y tenir; cet air d'alcôve m'enivrait, cette
fébrile senteur de rose à demi-fanée me montait au cerveau,
et je marchais à grands pas dans la chambre, m'arrêtant à
105 chaque tour devant l'estrade pour considérer la gracieuse
trépassée sous la transparence de son linceul. D'étranges
pensées me traversaient l'esprit; je me figurais qu'elle n'était
point morte réellement, et que ce n'était qu'une feinte qu'elle
avait employée pour m'attirer dans son château et me conter
110 son amour. Un instant même je crus avoir vu bouger son pied
dans la blancheur des voiles, et se déranger les plis droits du
suaire.

Et puis je me disais : « Est-ce bien Clarimonde ? quelle preuve
en ai-je ? Ce page noir ne peut-il être passé au service d'une
115 autre femme ? Je suis bien fou de me désoler et de m'agiter
ainsi. » Mais mon cœur me répondit avec un battement :
« C'est bien elle, c'est bien elle. » Je me rapprochai du lit, et
je regardai avec un redoublement d'attention l'objet de mon
incertitude. Vous l'avouerai-je ? cette perfection de formes,

| **12.** Tissu épais avec des dessins brillants. | **13.** Pierre très blanche.

120 quoique purifiée et sanctifiée par l'ombre de la mort, me troublait plus voluptueusement qu'il n'aurait fallu, et ce repos ressemblait tant à un sommeil que l'on s'y serait trompé. J'oubliais que j'étais venu là pour un office funèbre, et je m'imaginais que j'étais un jeune époux entrant dans la
125 chambre de la fiancée qui cache sa figure par pudeur et qui ne se veut point laisser voir. Navré de douleur, éperdu de joie, frissonnant de crainte et de plaisir, je me penchai vers elle et je pris le coin du drap ; je le soulevai lentement en retenant mon souffle de peur de l'éveiller. Mes artères palpitaient avec
130 une telle force, que je les sentais siffler dans mes tempes, et mon front ruisselait de sueur comme si j'eusse remué une dalle de marbre. C'était en effet la Clarimonde telle que je l'avais vue à l'église lors de mon ordination ; elle était aussi charmante, et la mort chez elle semblait une coquetterie de plus.
135 La pâleur de ses joues, le rose moins vif de ses lèvres, ses longs cils baissés et découpant leur frange brune sur cette blancheur, lui donnaient une expression de chasteté mélancolique et de souffrance pensive d'une puissance de séduction inexprimable ; ses longs cheveux dénoués, où se trouvaient encore mêlées
140 quelques petites fleurs bleues, faisaient un oreiller à sa tête et protégeaient de leurs boucles la nudité de ses épaules ; ses belles mains, plus pures, plus diaphanes[14] que des hosties, étaient croisées dans une attitude de pieux repos et de tacite[15] prière, qui corrigeait ce qu'auraient pu avoir de trop sédui-
145 sant, même dans la mort, l'exquise rondeur et le poli d'ivoire de ses bras nus dont on n'avait pas ôté les bracelets de perles. Je restai longtemps absorbé dans une muette contemplation, et, plus je la regardais, moins je pouvais croire que la vie avait pour toujours abandonné ce beau corps. Je ne sais si cela était
150 une illusion ou un reflet de la lampe, mais on eût dit que le

---

| **14.** Translucides. | **15.** Silencieuse.

sang recommençait à circuler sous cette mate pâleur ; cependant elle était toujours de la plus parfaite immobilité. Je touchai légèrement son bras ; il était froid, mais pas plus froid pourtant que sa main le jour qu'elle avait effleuré la mienne
155 sous le portail de l'église. Je repris ma position, penchant ma figure sur la sienne et laissant pleuvoir sur ses joues la tiède rosée de mes larmes. Ah ! quel sentiment amer de désespoir et d'impuissance ! quelle agonie que cette veille ! j'aurais voulu pouvoir ramasser ma vie en un monceau pour la lui donner
160 et souffler sur sa dépouille glacée la flamme qui me dévorait. La nuit s'avançait, et, sentant approcher le moment de la séparation éternelle, je ne pus me refuser cette triste et suprême douceur de déposer un baiser sur les lèvres mortes de celle qui avait eu tout mon amour. O prodige ! un léger souffle se
165 mêla à mon souffle, et la bouche de Clarimonde répondit à la pression de la mienne : ses yeux s'ouvrirent et reprirent un peu d'éclat, elle fit un soupir, et, décroisant ses bras, elle les passa derrière mon cou avec un air de ravissement ineffable. « Ah ! c'est toi, Romuald, dit-elle d'une voix languissante et
170 douce comme les dernières vibrations d'une harpe ; que fais-tu donc ? Je t'ai attendu si longtemps, que je suis morte ; mais maintenant nous sommes fiancés,

La Morte amoureuse
d'après Théophile Gautier.
Lithographie d'après A. P. Laurens,
1904, collection privée.

175 je pourrai te voir et aller chez toi. Adieu, Romuald, adieu!
je t'aime; c'est tout ce que je voulais te dire, et je te rends la
vie que tu as rappelée sur moi une minute avec ton baiser;
à bientôt.»

Sa tête retomba en arrière, mais elle m'entourait toujours de
180 ses bras comme pour me retenir. Un tourbillon de vent furieux
défonça la fenêtre et entra dans la chambre; la dernière feuille
de la rose blanche palpita quelque temps comme une aile au
bout de la tige, puis elle se détacha et s'envola par la croisée
ouverte, emportant avec elle l'âme de Clarimonde. La lampe
185 s'éteignit et je tombai évanoui sur le sein de la belle morte.

Quand je revins à moi, j'étais couché sur mon lit, dans ma
petite chambre de presbytère, et le vieux chien de l'ancien
curé léchait ma main allongée hors de la couverture. Barbara
s'agitait dans la chambre avec un tremblement sénile[16],
190 ouvrant et fermant des tiroirs, ou remuant des poudres dans
des verres. En me voyant ouvrir les yeux, la vieille poussa un
cri de joie, le chien jappa et frétilla de la queue; mais j'étais
si faible, que je ne pus prononcer une seule parole ni faire
aucun mouvement. J'ai su depuis que j'étais resté trois jours
195 ainsi, ne donnant d'autre signe d'existence qu'une respiration
presque insensible. Ces trois jours ne comptent pas dans ma
vie, et je ne sais où mon esprit était allé pendant tout ce temps;
je n'en ai gardé aucun souvenir. Barbara m'a conté que le
même homme au teint cuivré, qui m'était venu chercher
200 pendant la nuit, m'avait ramené le matin dans une litière
fermée et s'en était retourné aussitôt. Dès que je pus rappeler
mes idées, je repassai en moi-même toutes les circonstances
de cette nuit fatale. D'abord je pensai que j'avais été le jouet
d'une illusion magique; mais des circonstances réelles et
205 palpables détruisirent bientôt cette supposition. Je ne pouvais

| **16.** De vieille femme.

croire que j'avais rêvé, puisque Barbara avait vu comme moi
l'homme aux deux chevaux noirs et qu'elle en décrivait l'ajus-
tement[17] et la tournure avec exactitude. Cependant personne
ne connaissait dans les environs un château auquel s'appli-
210 quât la description du château où j'avais retrouvé Clarimonde.

Un matin je vis entrer l'abbé Sérapion. Barbara lui avait
mandé[18] que j'étais malade, et il était accouru en toute hâte.
Quoique cet empressement démontrât de l'affection et de
l'intérêt pour ma personne, sa visite ne me fit pas le plaisir
215 qu'elle m'aurait dû faire. L'abbé Sérapion avait dans le regard
quelque chose de pénétrant et d'inquisiteur[19] qui me gênait.
Je me sentais embarrassé et coupable devant lui. Le premier
il avait découvert mon trouble intérieur, et je lui en voulais
de sa clairvoyance.

220 Tout en me demandant des nouvelles de ma santé d'un ton
hypocritement mielleux[20], il fixait sur moi ses deux jaunes
prunelles de lion et plongeait comme une sonde ses regards
dans mon âme. Puis il me fit quelques questions sur la manière
dont je dirigeais ma cure, si je m'y plaisais, à quoi je passais
225 le temps que mon ministère me laissait libre, si j'avais fait
quelques connaissances parmi les habitants du lieu, quelles
étaient mes lectures favorites, et mille autres détails
semblables. Je répondis à tout cela le plus brièvement possible,
et lui-même, sans attendre que j'eusse achevé, passait à autre
230 chose. Cette conversation n'avait évidemment aucun rapport
avec ce qu'il voulait dire. Puis, sans préparation aucune, et
comme une nouvelle dont il se souvenait à l'instant et qu'il
eût craint d'oublier ensuite, il me dit d'une voix claire et
vibrante qui résonna à mon oreille comme les trompettes du
235 jugement dernier[21] :

---

17. Tenue.
18. Lui avait fait savoir.
19. Interrogateur.
20. Trop doux.
21. Jugement prononcé par Dieu à la fin du monde.

« La grande courtisane Clarimonde est morte dernièrement, à la suite d'une orgie[22] qui a duré huit jours et huit nuits. Ç'a été quelque chose d'infernalement splendide. On a renouvelé là les abominations des festins de Balthazar[23] et de Cléopâtre[24].
240 Dans quel siècle vivons-nous, bon Dieu ! Les convives étaient servis par des esclaves basanés parlant un langage inconnu et qui m'ont tout l'air de vrais démons ; la livrée[25] du moindre d'entre eux eût pu servir de gala à un empereur. Il a couru de tout temps sur cette Clarimonde de bien étranges histoires,
245 et tous ses amants ont fini d'une manière misérable ou violente. On a dit que c'était une goule[26], un vampire femelle ; mais je crois que c'était Belzébuth[27] en personne. »

Il se tut et m'observa plus attentivement que jamais, pour voir l'effet que ses paroles avaient produit sur moi. Je n'avais
250 pu me défendre d'un mouvement en entendant nommer Clarimonde, et cette nouvelle de sa mort, outre la douleur qu'elle me causait par son étrange coïncidence avec la scène nocturne dont j'avais été témoin, me jeta dans un trouble et un effroi qui parurent sur ma figure, quoi que je fisse pour
255 m'en rendre maître. Sérapion me jeta un coup d'œil inquiet et sévère ; puis il me dit : « Mon fils, je dois vous en avertir, vous avez le pied levé sur un abîme, prenez garde d'y tomber. Satan a la griffe longue, et les tombeaux ne sont pas toujours fidèles. La pierre de Clarimonde devrait être scellée d'un triple
260 sceau ; car ce n'est pas, à ce qu'on dit, la première fois qu'elle est morte. Que Dieu veille sur vous, Romuald ! »

Après avoir dit ces mots, Sérapion regagna la porte à pas lents, et je ne le revis plus ; car il partit pour S*** presque aussitôt.

---

22. Fête pleine de débauche.
23. Dernier roi de Babylone, qui offrit un festin gigantesque.
24. Reine d'Égypte, célèbre pour ses fêtes grandioses.

25. Uniforme.
26. Démon des mythologies orientales qui suce le sang des hommes qu'elle a séduits.
27. Autre nom pour Satan, pour le diable.

Questions

Repérer et analyser

L'énonciation

1 **a.** Rappelez la situation d'énonciation. À qui le narrateur s'adresse-t-il?

b. Qu'est-ce que Romuald refuse de faire dans un premier temps? Et ensuite?

c. Que ressent Romuald face à l'abbé Sérapion? Expliquez son attitude. Est-il prêt à suivre les conseils donnés? Pourquoi?

L'entrée dans le fantastique

Le cadre

Le récit fantastique se déroule souvent la nuit. Ce moment favorise la création d'un cadre mystérieux, empli de visions inquiétantes : les formes perdent leur contour, les bruits s'exacerbent, les forces du mal semblent se déchaîner.

2 La chevauchée

a. Combien de lignes sont consacrées à l'évocation du trajet entre le presbytère et la demeure de Clarimonde?

b. Relevez des expressions qui traduisent la course rapide des chevaux. Quel est l'effet produit sur la perception du paysage?

3 Comparaisons et métaphores

Dans les récits fantastiques, les comparaisons et les métaphores permettent de créer des images qui contribuent à susciter le mystère et l'inquiétude.

– La comparaison met en relation deux éléments, le comparé (élément que l'on compare) et le comparant (élément auquel on compare) pour en souligner le point commun. La comparaison est introduite par un outil de comparaison (« comme », « tel que », « ressembler à »). Exemple : deux chevaux noirs comme la nuit.

– La métaphore met en relation deux éléments sans outil de comparaison. Exemple : les chevaux soufflant deux longs flots de fumée.

En quoi la chevauchée apparaît-elle comme fantastique?

Pour répondre :

– relevez les champs lexicaux de l'ombre, de la lumière, du bruit ainsi que les comparaisons et les métaphores qui contribuent à rendre le voyage inquiétant;

– identifiez les sources de lumières et la provenance des bruits;

– citez les animaux évoqués et dites en quoi ils présentent un caractère inquiétant ;

– notez la couleur des chevaux ; quelle image est donnée d'eux et des cavaliers ?

4 Le château : montrez, en citant le texte, que dans la nuit le château revêt un caractère étrange (l. 40 à 50).

5 La salle funèbre

a. Quels sont les différents éléments qui constituent le décor de la salle funèbre (l. 61 à 72) ?

b. Quelle clarté règne dans la salle ? Montrez que les formes s'estompent. Quel est l'effet produit ?

Le phénomène fantastique

Les événements vécus par le narrateur

6 À quel titre le narrateur a-t-il été appelé dans le château ? Quel est le personnage qui est mort ?

7 **a.** Montrez qu'au début de la veillée le narrateur remplit son rôle de prêtre.

b. À partir de quel moment le narrateur sent-il qu'il bascule dans l'étrange ? Citez le texte. Quel est le rôle des sensations visuelles (lumières, couleurs), olfactives (odeurs) et auditives (bruit) ?

8 **a.** L'idée vient au narrateur de regarder encore une fois la morte : relevez le champ lexical du regard lignes 88 à 149.

b. À quel épisode précédent le motif du regard renvoie-t-il ?

c. Montrez, en citant le texte, que le narrateur est troublé par ce qu'il voit.

Le motif du mort-vivant

Le thème du mort-vivant est un motif fréquent du récit fantastique. Il prend plusieurs formes : le vampire, le fantôme, la créature que l'on ramène à la vie. Ce thème a pour origine le refus de la mort.

9 **a.** Lorsque Romuald commence à regarder Clarimonde, il la décrit à l'aide de deux comparaisons. Quelles sont-elles ? Qu'y a-t-il d'étrange dans le rapprochement de ces deux comparaisons (l. 93 à 101) ?

b. Dans le portrait de la jeune femme (l. 135 à 146) quels sont les deux champs lexicaux qui s'opposent ? Lequel s'efface peu à peu ?

10 **a.** Après quel geste du narrateur Clarimonde revient-elle à la vie ? Pendant combien de temps ?

b. « Maintenant nous sommes fiancés », déclare Clarimonde (l. 173) : quelles peuvent être les conséquences de ces paroles pour la suite ?

c. Qu'advient-il ensuite de Clarimonde ?

L'inversion

11 « Je te rends la vie que tu as rappelée sur moi une minute avec ton baiser » conclut-elle (l. 176-177) : en quoi la situation est-elle complètement inversée ? Quels repères sont ainsi brouillés ?

Le principe d'hésitation

Le narrateur du récit fantastique oscille entre l'explication rationnelle et l'acceptation de l'inexplicable.

12 Quel est le premier bruit que perçoit le narrateur dans la chambre mortuaire (l. 86 à 88) ? Que croit-il dans un premier temps ? Appuyez-vous sur le verbe modalisateur. Quelle explication rationnelle donne-t-il à ce bruit ?

13 **a.** Dans les lignes 133-134 puis 147 à 151, par quels mots ou expressions (modalisateurs) le narrateur indique-t-il qu'il n'est pas sûr de ce qu'il voit ? Quelles questions se pose-t-il sur l'identité de la morte ? Appuyez-vous sur les phrases interrogatives (l. 113 à 119).

b. Par quels sens est-il ensuite persuadé que Clarimonde est vivante ? Quel est l'effet produit par l'utilisation du style direct pour transcrire les paroles de la jeune femme ?

c. Quel phénomène météorologique se produit-il ligne 180 ? À quel moment ce phénomène survient-il ?

Après l'intervention du surnaturel

Les tentatives d'explication et les indices de surnaturel

Face à l'expérience qu'il vient de traverser, le héros fantastique doute de lui-même : qu'a-t-il réellement vécu ?

14 **a.** Qu'advient-il au narrateur après le baiser à Clarimonde ? Où se réveille-t-il ? Comment explique-t-il, dans un premier temps, ce qui s'est passé dans la nuit ?

b. Qu'est-ce qui réduit à néant ce raisonnement ?

Le rôle de l'abbé Sérapion

15 Le rôle de l'abbé a-t-il varié par rapport à celui qu'il avait dans l'extrait 2 ? Pourquoi vient-il trouver Romuald ?

16 **a.** Dans les lignes 236 à 247, que lui apprend-il sur Clarimonde ? Quelle identité lui confère-t-il ?

b. En quoi la deuxième partie de son discours (l. 256 à 261) est-elle encore plus inquiétante que la première ? Relevez la proposition entre virgules qui montre qu'il n'est pas totalement sûr de ce qu'il dit.

La visée et les hypothèses de lecture

La double interprétation

Le lecteur du récit fantastique est placé dans l'incapacité de choisir entre une explication surnaturelle des faits et une explication naturelle.

17 **a.** Quelle explication naturelle le lecteur peut-il donner à l'aventure vécue par le narrateur lors de cette veillée funèbre ? Prenez en compte l'atmosphère qui règne dans la pièce, la pénombre, l'état du narrateur, ses sentiments…

b. Quelle explication surnaturelle peut-on au contraire lui donner ?

c. Le lecteur est-il en mesure de trancher ?

18 En quoi les révélations de l'abbé Sérapion sur la nature de Clarimonde apportent-elles de nouvelles pistes de lecture ?

Écrire

Raconter en changeant le point de vue narratif

19 Le lendemain, la vieille gouvernante raconte à sa voisine les événements dont elle a été le témoin pendant la nuit. Elle s'interroge longuement sur la signification du voyage de son maître et s'inquiète de sa santé.

Écrire une suite

20 Clarimonde a promis de venir rendre visite à Romuald. Imaginez qu'elle arrive la nuit au presbytère.

Enquêter

Le rêve

21 Cherchez des renseignements sur les mécanismes du rêve : comment il part d'éléments de la réalité vécue et comment il la reconstruit. Vous pourrez ensuite réfléchir à votre propre expérience.

Comparer

Véra, Villiers de L'Isle-Adam (1883)

Depuis la mort de sa femme Véra, le comte d'Athol vit enfermé dans son palais. Il a l'impression que sa femme est toujours à ses côtés.

« Un frais éclat de rire musical éclaira de sa joie le lit nuptial ; le comte se retourna. Et là, devant ses yeux, faite de volonté et de souvenir, accoudée, fluide, sur l'oreiller de dentelles, sa main soutenant ses lourds cheveux noirs, sa bouche délicieusement entr'ouverte en un sourire tout emparadisé de voluptés, belle à en mourir, enfin ! la comtesse Véra le regardait un peu endormie encore.
– « Roger !... » dit-elle d'une voix lointaine.
Il vint auprès d'elle. Leurs lèvres s'unirent dans une joie divine, – oublieuse, – immortelle ! »

Villiers de L'Isle-Adam, « Véra », in Contes cruels, 1883.

22 **a.** Quelles sont les caractéristiques communes de Clarimonde et de Véra ?
b. Dans les deux nouvelles, comment communiquent le vivant et la morte ? Qu'échangent-ils ?
c. Quel est le récit qui laisse le plus de place à l'ambiguïté et au doute : celui de Théophile Gautier ou celui de Villiers de L'Isle-Adam ? Justifiez votre réponse.
d. Lequel préférez-vous ? Expliquez pourquoi.

Extrait 4

« Elle ressemblait à une statue de marbre »

J'étais entièrement rétabli et j'avais repris mes fonctions habi-
tuelles. Le souvenir de Clarimonde et les paroles du vieil abbé
étaient toujours présents à mon esprit; cependant aucun événement extraordinaire n'était venu confirmer les prévisions
5 funèbres de Sérapion, et je commençais à croire que ses craintes
et mes terreurs étaient trop exagérées; mais une nuit je fis un
rêve. J'avais à peine bu les premières gorgées du sommeil, que
j'entendis ouvrir les rideaux de mon lit et glisser les anneaux
sur les tringles avec un bruit éclatant; je me soulevai brusque-
10 ment sur le coude, et je vis une ombre de femme qui se tenait
debout devant moi. Je reconnus sur-le-champ Clarimonde. Elle
portait à la main une petite lampe de la forme de celles qu'on
met dans les tombeaux, dont la lueur donnait à ses doigts effilés
une transparence rose qui se prolongeait par une dégradation
15 insensible jusque dans la blancheur opaque et laiteuse de son
bras nu. Elle avait pour tout vêtement le suaire de lin qui la
recouvrait sur son lit de parade, dont elle retenait les plis sur
sa poitrine, comme honteuse d'être si peu vêtue, mais sa petite
main n'y suffisait pas; elle était si blanche que la couleur de la
20 draperie se confondait avec celle des chairs sous le pâle rayon
de la lampe. Enveloppée de ce fin tissu qui trahissait tous les
contours de son corps, elle ressemblait à une statue de marbre
de baigneuse antique plutôt qu'à une femme douée de vie.
Morte ou vivante, statue ou femme, ombre ou corps, sa beauté
25 était toujours la même; seulement l'éclat vert de ses prunelles
était un peu amorti, et sa bouche, si vermeille[1] autrefois, n'était

---

1. Rouge vif.

plus teintée que d'un rose faible et tendre presque semblable à celui de ses joues. Les petites fleurs bleues que j'avais remarquées dans ses cheveux étaient tout à fait sèches et avaient
30 presque perdu toutes leurs feuilles ; ce qui ne l'empêchait pas d'être charmante, si charmante que, malgré la singularité de l'aventure et la façon inexplicable dont elle était entrée dans la chambre, je n'eus pas un instant de frayeur.

Elle posa la lampe sur la table et s'assit sur le pied de mon
35 lit, puis elle me dit en se penchant vers moi avec cette voix argentine[2] et veloutée à la fois que je n'ai connue qu'à elle :

« Je me suis bien fait attendre, mon cher Romuald, et tu as dû croire que je t'avais oublié. Mais je viens de bien loin, et d'un endroit d'où personne n'est encore revenu : il n'y a ni
40 lune ni soleil au pays d'où j'arrive ; ce n'est que de l'espace et de l'ombre ; ni chemin, ni sentier ; point de terre pour le pied, point d'air pour l'aile ; et pourtant me voici, car l'amour est plus fort que la mort[3], et il finira par la vaincre. Ah ! que de faces mornes et de choses terribles j'ai vues dans mon voyage !
45 Que de peine mon âme, rentrée dans ce monde par la puissance de la volonté, a eue pour retrouver son corps et s'y réinstaller ! Que d'efforts il m'a fallu faire avant de lever la dalle dont on m'avait couverte ! Tiens ! le dedans de mes pauvres mains en est tout meurtri. Baise-les pour les guérir, cher
50 amour ! » Elle m'appliqua l'une après l'autre les paumes froides de ses mains sur la bouche ; je les baisai en effet plusieurs fois, et elle me regardait faire avec un sourire d'ineffable[4] complaisance[5].

Je l'avoue à ma honte, j'avais totalement oublié les avis
55 de l'abbé Sérapion et le caractère dont j'étais revêtu[6]. J'étais tombé sans résistance et au premier assaut. Je n'avais pas

---

2. Claire.
3. « L'amour est plus fort que la mort » : formule biblique tirée du Cantique des Cantiques.
4. Qui ne peut être dit.
5. Satisfaction.
6. Mon statut de prêtre.

même essayé de repousser le tentateur ; la fraîcheur de la peau de Clarimonde pénétrait la mienne, et je me sentais courir sur le corps de voluptueux frissons. La pauvre enfant !

60 malgré tout ce que j'en ai vu, j'ai peine à croire encore que ce fût un démon ; du moins elle n'en avait pas l'air, et jamais Satan n'a mieux caché ses griffes et ses cornes. Elle avait reployé ses talons sous elle et se tenait accroupie sur le bord de la couchette dans une position pleine de coquetterie

65 nonchalante. De temps en temps elle passait sa petite main à travers mes cheveux et les roulait en boucles comme pour essayer à mon visage de nouvelles coiffures. Je me laissais faire avec la plus coupable complaisance, et elle accompagnait tout cela du plus charmant babil[7]. Une chose remar-

70 quable, c'est que je n'éprouvais aucun étonnement d'une aventure aussi extraordinaire, et, avec cette facilité que l'on a dans la vision d'admettre comme fort simples les événements les plus bizarres, je ne voyais rien là que de parfaitement naturel.

75 « Je t'aimais bien longtemps avant de t'avoir vu, mon cher Romuald, et je te cherchais partout. Tu étais mon rêve, et je t'ai aperçu dans l'église au fatal moment[8] ; j'ai dit tout de suite : "C'est lui !" Je te jetai un regard où je mis tout l'amour que j'avais eu, que j'avais et que je devais avoir pour toi ; un regard

80 à damner un cardinal, à faire agenouiller un roi à mes pieds devant toute sa cour. Tu restas impassible[9] et tu me préféras ton Dieu. »

Ah ! que je suis jalouse de Dieu, que tu as aimé et que tu aimes encore plus que moi !

85 « Malheureuse, malheureuse que je suis ! je n'aurai jamais ton cœur à moi toute seule, moi que tu as ressuscitée d'un baiser, Clarimonde la morte, qui force à cause de toi les portes

---

| **7.** Bavardage. | **8.** L'ordination comme prêtre. | **9.** Sans réaction.

du tombeau et qui vient te consacrer une vie qu'elle n'a reprise que pour te rendre heureux ! »

90   Toutes ces paroles étaient entrecoupées de caresses délirantes qui étourdirent mes sens et ma raison au point que je ne craignis point pour la consoler de proférer un effroyable blasphème[10], et de lui dire que je l'aimais autant que Dieu.

   Ses prunelles se ravivèrent et brillèrent comme des chryso-
95 prases[11]. « Vrai ! bien vrai ! autant que Dieu ! dit-elle en m'enlaçant dans ses beaux bras. Puisque c'est ainsi, tu viendras avec moi, tu me suivras où je voudrai. Tu laisseras tes vilains habits noirs. Tu seras le plus fier et le plus envié des cavaliers, tu seras mon amant. Être l'amant avoué de Clarimonde, qui
100 a refusé un pape, c'est beau, cela ! Ah ! la bonne vie bien heureuse, la belle existence dorée que nous mènerons ! Quand partons-nous, mon gentilhomme ?

E. Munch (1863-1944), *Vampire II*, 1895. Lithographie (Oslo, Munch-Museet).

| **10.** Parole qui outrage Dieu. | **11.** Pierres précieuses de couleur vert vif.

– Demain ! demain ! m'écriai-je dans mon délire.

– Demain, soit ! reprit-elle. J'aurai le temps de changer de
105 toilette, car celle-ci est un peu succincte[12] et ne vaut rien pour
le voyage. Il faut aussi que j'aille avertir mes gens qui me
croient sérieusement morte et qui se désolent tant qu'ils
peuvent. L'argent, les habits, les voitures, tout sera prêt ; je te
viendrai prendre à cette heure-ci. Adieu, cher cœur. » Et elle
110 effleura mon front du bout de ses lèvres. La lampe s'éteignit,
les rideaux se refermèrent, et je ne vis plus rien ; un sommeil
de plomb, un sommeil sans rêve s'appesantit sur moi et me
tint engourdi jusqu'au lendemain matin. Je me réveillai plus
tard que de coutume, et le souvenir de cette singulière vision
115 m'agita toute la journée ; je finis par me persuader que c'était
une pure vapeur[13] de mon imagination échauffée. Cependant
les sensations avaient été si vives, qu'il était difficile de croire
qu'elles n'étaient pas réelles et ce ne fut pas sans quelque
appréhension de ce qui allait arriver que je me mis au lit, après
120 avoir prié Dieu d'éloigner de moi les mauvaises pensées et de
protéger la chasteté de mon sommeil.

Je m'endormis bientôt profondément, et mon rêve se
continua. Les rideaux s'écartèrent, et je vis Clarimonde, non
pas, comme la première fois, pâle dans son pâle suaire et les
125 violettes de la mort sur les joues, mais gaie, leste et pimpante,
avec un superbe habit de voyage en velours vert orné de
ganses[14] d'or et retroussé sur le côté pour laisser voir une jupe
de satin. Ses cheveux blonds s'échappaient en grosses boucles
de dessous un large chapeau de feutre noir chargé de plumes
130 blanches capricieusement contournées ; elle tenait à la main
une petite cravache terminée par un sifflet d'or. Elle m'en
toucha légèrement et me dit : « Eh bien ! beau dormeur, est-ce
ainsi que vous faites vos préparatifs ? Je comptais vous trouver

---

| **12.** Trop simple. | **13.** Hallucination. | **14.** Rubans.

debout. Levez-vous bien vite, nous n'avons pas de temps à
135 perdre. » Je sautai à bas du lit.

« Allons, habillez-vous et partons, dit-elle en me montrant
du doigt un petit paquet qu'elle avait apporté ; les chevaux
s'ennuient et rongent leur frein à la porte. Nous devrions déjà
être à dix lieues d'ici. »

140 Je m'habillai en hâte, et elle me tendait elle-même les pièces
du vêtement, en riant aux éclats de ma gaucherie, et en m'indiquant leur usage quand je me trompais. Elle donna du tour
à[15] mes cheveux, et, quand ce fut fait, elle me tendit un petit
miroir de poche en cristal de Venise, bordé d'un filigrane d'ar-
145 gent, et me dit : « Comment te trouves-tu ? veux-tu me prendre
à ton service comme valet de chambre ? »

Je n'étais plus le même, et je ne me reconnus pas. Je ne me
ressemblais pas plus qu'une statue achevée ne ressemble à un
bloc de pierre. Mon ancienne figure avait l'air de n'être que
150 l'ébauche grossière de celle que réfléchissait le miroir. J'étais
beau, et ma vanité fut sensiblement chatouillée de cette méta-
morphose. Ces élégants habits, cette riche veste brodée,
faisaient de moi un tout autre personnage, et j'admirais la
puissance de quelques aunes[16] d'étoffe taillées d'une certaine
155 manière. L'esprit de mon costume me pénétrait la peau, et au
bout de dix minutes j'étais passablement fat[17].

Je fis quelques tours par la chambre pour me donner de l'ai-
sance. Clarimonde me regardait d'un air de complaisance
maternelle et paraissait très contente de son œuvre. « Voilà
160 bien assez d'enfantillage ; en route mon cher Romuald ! nous
allons loin et nous n'arriverons pas. » Elle me prit la main et
m'entraîna. Toutes les portes s'ouvraient devant elle aussitôt
qu'elle les touchait, et nous passâmes devant le chien sans
l'éveiller.

| **15.** Coiffa. | **16.** Ancienne mesure de longueur. | **17.** Prétentieux.

165   À la porte, nous trouvâmes Margheritone; c'était l'écuyer qui m'avait déjà conduit; il tenait en bride trois chevaux noirs comme les premiers, un pour moi, un pour lui, un pour Clarimonde. Il fallait que ces chevaux fussent des genets[18] d'Espagne, nés de juments fécondées par le zéphyr[19]; car ils

170   allaient aussi vite que le vent, et la lune, qui s'était levée à notre départ pour nous éclairer, roulait dans le ciel comme une roue détachée de son char; nous la voyions à notre droite sauter d'arbre en arbre et s'essouffler pour courir après nous. Nous arrivâmes bientôt dans une plaine où, auprès d'un

175   bosquet d'arbres, nous attendait une voiture attelée de quatre vigoureuses bêtes; nous y montâmes, et les postillons[20] leur firent prendre un galop insensé. J'avais un bras passé derrière la taille de Clarimonde et une de ses mains ployée dans la mienne; elle appuyait sa tête à mon épaule, et je sentais sa

180   gorge demi-nue frôler mon bras. Jamais je n'avais éprouvé un bonheur aussi vif. J'avais oublié tout en ce moment-là, et je ne me souvenais pas plus d'avoir été prêtre que de ce que j'avais fait dans le sein de ma mère, tant était grande la fascination que l'esprit malin exerçait sur moi. À dater de cette

185   nuit, ma nature s'est en quelque sorte dédoublée, et il y eut en moi deux hommes dont l'un ne connaissait pas l'autre. Tantôt je me croyais un prêtre qui rêvait chaque soir qu'il était gentilhomme, tantôt un gentilhomme qui rêvait qu'il était prêtre. Je ne pouvais plus distinguer le songe de la veille[21],

190   et je ne savais pas où commençait la réalité et où finissait l'illusion. Le jeune seigneur fat et libertin[22] se raillait du prêtre, le prêtre détestait les dissolutions[23] du jeune seigneur. Deux spirales enchevêtrées l'une dans l'autre et confondues sans se

---

18. Race de chevaux andalous.
19. Vent d'ouest dans l'Antiquité. Selon les légendes mythologiques, les chevaux très rapides étaient des fils du vent.
20. Cochers.
21. État de quelqu'un qui est réveillé.
22. Débauché.
23. Débauches.

toucher jamais représentent très bien cette vie bicéphale[24] qui
fut la mienne. Malgré l'étrangeté de cette position, je ne crois
pas avoir un seul instant touché à la folie. J'ai toujours
conservé très nettes les perceptions de mes deux existences.
Seulement, il y avait un fait absurde que je ne pouvais m'expliquer : c'est que le sentiment du même moi existât dans deux
hommes si différents. C'était une anomalie dont je ne me
rendais pas compte, soit que je crusse être le curé du petit
village de * * *, ou il signor Romualdo, amant en titre de la
Clarimonde.

Toujours est-il que j'étais ou du moins que je croyais être
à Venise ; je n'ai pu encore bien démêler ce qu'il y avait d'illusion et de réalité dans cette bizarre aventure. Nous habitions
un grand palais de marbre sur le Canaleio[25], plein de fresques
et de statues, avec deux Titiens[26] du meilleur temps dans la
chambre à coucher de la Clarimonde, un palais digne d'un
roi. Nous avions chacun notre gondole et nos barcarolles[27]
à notre livrée, notre chambre de musique et notre poète.
Clarimonde entendait la vie d'une grande manière, et elle
avait un peu de Cléopâtre dans sa nature. Quant à moi, je
menais un train de fils de prince, et je faisais une poussière[28]
comme si j'eusse été de la famille de l'un des douze apôtres
ou des quatre évangélistes de la sérénissime république[29] ; je
ne me serais pas détourné de mon chemin pour laisser passer
le doge[30], et je ne crois pas que, depuis Satan qui tomba du
ciel, personne ait été plus orgueilleux et plus insolent que
moi. J'allais au Ridotto[31], et je jouais un jeu d'enfer. Je voyais
la meilleure société du monde, des fils de famille ruinés,
des femmes de théâtre, des escrocs, des parasites et des

---

24. Avec deux têtes, ici double vie.
25. Canal de Venise.
26. Titien : peintre vénitien de la Renaissance.
27. Bateliers.
28. Je soulevais beaucoup de vent autour de moi, je me pavanais.
29. Autre nom pour Venise.
30. Maire de Venise.
31. Salle de jeux de Venise au XVIIIe siècle.

spadassins[32]. Cependant, malgré la dissipation de cette vie,
je restai fidèle à la Clarimonde. Je l'aimais éperdument. Elle
225 eût réveillé la satiété[33] même et fixé l'inconstance. Avoir
Clarimonde, c'était avoir vingt maîtresses, c'était avoir toutes
les femmes, tant elle était mobile, changeante et dissemblable
d'elle-même ; un vrai caméléon ! Elle vous faisait commettre
avec elle l'infidélité que vous eussiez commise avec d'autres,
230 en prenant complètement le caractère, l'allure et le genre de
beauté de la femme qui paraissait vous plaire. Elle me rendait
mon amour au centuple, et c'est en vain que les jeunes patriciens[34] et même les vieux du conseil des Dix[35] lui firent les
plus magnifiques propositions. Un Foscari[36] alla même
235 jusqu'à lui proposer de l'épouser ; elle refusa tout. Elle avait
assez d'or ; elle ne voulait plus que de l'amour, un amour
jeune, pur, éveillé par elle, et qui devait être le premier et le
dernier. J'aurais été parfaitement heureux sans un maudit
cauchemar qui revenait toutes les nuits, et où je me croyais
240 un curé de village se macérant[37] et faisant pénitence de mes
excès du jour. Rassuré par l'habitude d'être avec elle, je ne
songeais presque plus à la façon étrange dont j'avais fait
connaissance avec Clarimonde. Cependant, ce qu'en avait
dit l'abbé Sérapion me revenait quelquefois en mémoire et
245 ne laissait pas que de[38] me donner de l'inquiétude.

32. Tueurs à gages.
33. Dégoût qui vient de la satisfaction de tous les besoins.
34. Nobles.
35. Conseil des ministres de Venise.
36. Noble et ancienne famille vénitienne.
37. S'imposant des mortifications.
38. Ne cessait pas de.

Repérer et analyser

Le mode de narration

Le rythme de la narration

1 a. Délimitez les deux scènes de l'extrait. Combien de temps s'écoule entre ces deux scènes ?

b. À quel moment de la journée ont-elles lieu ? Quelle est leur durée approximative ? Qui sont les personnages en présence ?

c. Quelle proposition Clarimonde fait-elle au narrateur dans ces scènes ? Où l'emmène-t-elle ?

2 « À dater de cette nuit… » (l. 184-185) : le narrateur évoque-t-il des moments précis du passé ou des actions répétées ? Appuyez-vous sur la valeur de l'imparfait utilisé dans le passage ; quel type de vie le narrateur et Clarimonde mènent-ils ?

Les effets d'échos

> Le narrateur peut présenter des scènes parallèles qui se répondent en écho, permettant de mettre en avant des similitudes ou des oppositions.

3 a. Lors de sa première visite au narrateur, Clarimonde évoque une scène qu'ils ont vécue ensemble. Laquelle ?

b. Montrez que cette scène est présentée selon un point de vue différent. Quel est l'effet produit par cet écho ?

Le regard du narrateur sur lui-même

4 a. Relevez les passages dans lesquels le narrateur intervient pour faire un commentaire sur lui-même, au moment où il s'habille et lorsqu'il raconte sa vie à Venise.

b. Quel jugement porte-t-il sur lui ? Quel sentiment éprouve-t-il pour Clarimonde ?

Le fantastique

Le thème du double

> Le thème du double intervient fréquemment dans les nouvelles fantastiques de Théophile Gautier. Le personnage a alors l'impression de se dédoubler, d'avoir deux existences, souvent opposées.

5 **a.** Quel est le sens de l'adjectif « bicéphale » (l. 194) ? Expliquez l'expression : « cette vie bicéphale ».

b. Quels sont les deux êtres qui cohabitent en Romuald ?

c. Quelles relations ces deux êtres entretiennent-ils l'un avec l'autre ?

d. Quelle métaphore le narrateur emploie-t-il pour définir l'entrelacement de ces deux existences ?

Le thème du mort-vivant

6   « Morte ou vivante, statue ou femme, ombre ou corps… » (l. 24-25)

a. De la ligne 16 à la ligne 33, relevez tous les termes qui renvoient à la mort. Qu'est-ce qui rend pourtant Clarimonde vivante ?

b. À quoi la jeune femme est-elle comparée ? À quel moment du récit le narrateur avait-il déjà utilisé cette comparaison (voir l'extrait précédent, p. 40) ?

c. De la ligne 11 à la ligne 33, relevez le champ lexical des couleurs. Quelle est la couleur dominante ? Pourquoi Clarimonde semble-t-elle ne pas avoir de corps ?

d. Dans quelles tenues différentes apparaît-elle ? Dans quelle tenue apparaît-elle comme une vivante et quelle tenue évoque plutôt la mort ?

Les indices d'étrangeté

7   En quoi l'apparition de Clarimonde dans la chambre du narrateur est-elle étrange ? Le narrateur est-il, quant à lui, troublé par cette apparition ou l'accepte-t-il comme un phénomène normal ? Quelle explication lui donne-t-il ?

8   Le merveilleux

> Dans le merveilleux, le surnaturel est accepté (fées, sorcières…) et ne provoque aucune surprise ni malaise.

a. Lorsque Romuald et Clarimonde sortent du presbytère, quels phénomènes étranges se produisent ? Le narrateur propose-t-il une explication à ces phénomènes ? Dans quel genre littéraire peut-on trouver ce type de manifestations merveilleuses ?

b. Montrez que les chevaux et la lune appartiennent eux aussi à un univers différent du monde réel.

Le cadre

9 **a.** Dans quel lieu réel la vie des amants se déroule-t-elle ? Citez des détails qui montrent que cette ville est évoquée dans sa réalité.
b. Montrez que les autres lieux où se déroulent les événements ne sont pas du tout décrits avec la même précision. Quel est l'effet créé par cette différence ?

La transgression

> La transgression est le fait d'enfreindre un interdit social ou religieux. Dans ce dernier cas, la transgression est assimilable à un sacrilège.

10 **a.** Clarimonde parle d'un « endroit d'où personne n'est encore revenu » (l. 39). De quel « endroit » s'agit-il ? Relevez toutes les marques de négation dans l'évocation de ce lieu. Quel est l'effet produit ?
b. De la ligne 43 à la ligne 50, identifiez le type de phrases utilisées. Quels sentiments Clarimonde exprime-t-elle ?

11 **a.** Quel sentiment Clarimonde éprouve-t-elle vis-à-vis de Dieu, à qui Romuald a choisi de consacrer sa vie ? En quoi s'agit-il d'une transgression ?
b. Quel est le sens du mot « blasphème » (l. 93) ? Pourquoi Romuald en profère-t-il un ? Quelle est la réaction de Clarimonde à ce sacrilège ?

Le principe d'hésitation

12 **a.** Relisez le passage qui va de la ligne 110 à la ligne 121. Quelle explication rationnelle le narrateur donne-t-il aux visites de Clarimonde ?
b. « Je ne savais pas où commençait la réalité et où finissait l'illusion » (l. 190-191) : montrez que les frontières entre le rêve et la réalité s'abolissent pour le narrateur.
c. À la fin de l'extrait, comment Romuald qualifie-t-il sa vie de prêtre ? Quelle inversion s'est alors accomplie ?

La visée et les hypothèses de lecture

13 **a.** « Malgré tout ce que j'en ai vu, j'ai peine à croire encore que ce fût un démon » (l. 60-61) : relevez les indices (temps verbaux, lexique) qui montrent que ce passage renvoie au moment de l'écriture.

b. Que laisse entendre la première proposition concernant la suite de la nouvelle ?

14 Le bonheur que connaissent Romuald et Clarimonde vous paraît-il éternel ? Quelles sont les ombres à ce bonheur ?

15 En quoi Clarimonde peut-elle être pour le narrateur l'image de la vie rêvée qu'il lui est interdit de mener ?

Écrire

Exercice de réécriture

16 Récrivez le passage lignes 177 à 191 à la troisième personne du singulier.

Écrire un texte argumentatif

17 L'abbé Sérapion, qui connaît la vie dissolue de Romuald à Venise, vient le voir dans son palais et lui adresse un discours sévère : il lui reproche son mode de vie et tente de le persuader de retourner dans son presbytère.

Développer une opinion

18 « Ces élégants habits, cette riche veste brodée, faisaient de moi un tout autre personnage, et j'admirais la puissance de quelques aunes d'étoffe taillées d'une certaine manière. L'esprit de mon costume me pénétrait la peau, et au bout de dix minutes j'étais passablement fat » (l. 152 à 156). Faut-il accorder de l'importance à son apparence ou pas ? Vous développerez votre opinion en vous appuyant sur des exemples.

Enquêter

Venise

19 Cherchez des renseignements sur la ville de Venise, sur Le Titien, sur les palais vénitiens. Pour cela vous pouvez regarder des tableaux de Canaletto par exemple.

Le dédoublement de personnalité

20 Le dédoublement de personnalité est une maladie mentale qui s'appelle la schizophrénie. Enquêtez sur cette maladie.

Comparer

L'Énéide, Virgile

Énée, héros de L'Énéide, *est descendu au royaume des morts.*

« Énée regarde alors derrière lui, et, à gauche, au pied d'un rocher, il voit une large enceinte fermée d'un triple mur, entourée des torrents de flammes d'un fleuve rapide, le Phlégéton du Tartare, qui roule des rocs retentissants. En face, une énorme porte et des montants d'acier massif tels qu'aucune force humaine, aucun engin de guerre, même aux mains des habitants du ciel, ne pourrait les enfoncer. Une tour de fer se dresse dans les airs. Il en sort des gémissements, le cruel sifflement des fouets, le bruit strident du fer et des traînements de chaînes. Et la vieille prêtresse de Phébus ajouta : « Allons, poursuis ta route et achève ce que tu as entrepris. » […] Comme elle parlait, tous deux, marchant du même pas dans le clair-obscur, traversent rapidement l'espace intermédiaire et s'approchent de l'entrée. Énée prend les devants, se lave dans une eau fraîche et, devant lui, fixe au seuil le rameau d'or.

Ces ablutions accomplies, et l'offrande faite à la déesse, ils arrivent à une plaine riante, aux délicieuses pelouses, aux bois fortunés, séjour des bienheureux. L'air pur y est plus large et revêt les lieux d'une lumière de pourpre. Ils ont leur soleil et leurs astres. Parmi ces ombres, les unes sur le gazon s'exercent à la palestre, se mesurent dans leurs jeux et luttent sur un sable doré ; les autres frappant la terre, forment des chœurs mêlés de chants. »

Virgile, *L'Énéide*, chant VI, traduction de G. Hacquard.

21 **a.** De combien de parties se compose le royaume des morts selon Virgile ? Quelles sont leurs caractéristiques ?

b. Montrez que l'évocation de Virgile est très différente de celle de Théophile Gautier. Laquelle préférez-vous ?

Lire

22 Deux autres nouvelles de Théophile Gautier abordent le thème du double : *Le Chevalier double* et *Deux acteurs pour un rôle*.

Extrait 5

« Une goutte, rien qu'une petite goutte rouge »

Depuis quelque temps la santé de Clarimonde n'était pas aussi bonne; son teint s'amortissait[1] de jour en jour. Les médecins qu'on fit venir n'entendaient rien à sa maladie, et ils ne savaient qu'y faire. Ils prescrivirent quelques remèdes insi-
5 gnifiants et ne revinrent plus. Cependant elle pâlissait à vue d'œil et devenait de plus en plus froide. Elle était presque aussi blanche et aussi morte que la fameuse nuit dans le château inconnu. Je me désolais de la voir ainsi lentement dépérir. Elle, touchée de ma douleur, me souriait doucement et tristement
10 avec le sourire fatal des gens qui savent qu'ils vont mourir.

Un matin, j'étais assis auprès de son lit, et je déjeunais sur une petite table pour ne la pas quitter d'une minute. En coupant un fruit, je me fis par hasard au doigt une entaille assez profonde. Le sang partit aussitôt en filets pourpres, et
15 quelques gouttes rejaillirent sur Clarimonde. Ses yeux s'éclairèrent, sa physionomie prit une expression de joie féroce et sauvage que je ne lui avais jamais vue. Elle sauta à bas du lit avec une agilité animale, une agilité de singe ou de chat, et se précipita sur ma blessure qu'elle se mit à sucer avec un air
20 d'indicible volupté. Elle avalait le sang par petites gorgées, lentement et précieusement, comme un gourmet qui savoure un vin de Xérès[2] ou de Syracuse[3]; elle clignait les yeux à demi, et la pupille de ses prunelles vertes était devenue oblongue[4] au lieu de ronde. De temps à autre elle s'interrompait pour
25 me baiser la main, puis elle recommençait à presser de ses

---

1. Pâlissait.	**3.** Ville de Sicile.
2. Ville d'Espagne, célèbre pour son vin.	**4.** Ovale.

lèvres les lèvres de la plaie pour en faire sortir encore quelques
gouttes rouges. Quand elle vit que le sang ne venait plus, elle
se releva l'œil humide et brillant, plus rose qu'une aurore de
mai, la figure pleine, la main tiède et moite, enfin plus belle
30 que jamais et dans un état parfait de santé.

« Je ne mourrai pas ! je ne mourrai pas ! dit-elle à moitié
folle de joie et en se pendant à mon cou ; je pourrai t'aimer
encore longtemps. Ma vie est dans la tienne, et tout ce qui est
moi vient de toi. Quelques gouttes de ton riche et noble sang,
35 plus précieux et plus efficace que tous les élixirs[5] du monde,
m'ont rendu l'existence. »

Cette scène me préoccupa longtemps et m'inspira d'étranges
doutes à l'endroit de Clarimonde, et le soir même, lorsque le
sommeil m'eut ramené à mon presbytère, je vis l'abbé
40 Sérapion plus grave et plus soucieux que jamais. Il me regarda
attentivement et me dit : « Non content de perdre votre âme,
vous voulez aussi perdre votre corps. Infortuné jeune homme,
dans quel piège êtes-vous tombé ! » Le ton dont il me dit ce
peu de mots me frappa vivement ; mais, malgré sa vivacité,
45 cette impression fut bientôt dissipée, et mille autres soins l'ef-
facèrent de mon esprit. Cependant, un soir, je vis dans ma
glace, dont elle n'avait pas calculé la perfide position,
Clarimonde qui versait une poudre dans la coupe de vin épicé
qu'elle avait coutume de préparer après le repas. Je pris la
50 coupe, je feignis d'y porter mes lèvres, et je la posai sur
quelque meuble comme pour l'achever plus tard à mon loisir,
et, profitant d'un instant où la belle avait le dos tourné, j'en
jetai le contenu sous la table ; après quoi je me retirai dans
ma chambre et je me couchai, bien déterminé à ne pas dormir
55 et à voir ce que tout cela deviendrait. Je n'attendis pas
longtemps ; Clarimonde entra en robe de nuit, et, s'étant

| **5.** Médicaments.

débarrassée de ses voiles, s'allongea dans le lit auprès de moi. Quand elle se fut bien assurée que je dormais, elle découvrit mon bras et tira une épingle d'or de sa tête ; puis elle se mit à
60 murmurer à voix basse :

« Une goutte, rien qu'une petite goutte rouge, un rubis au bout de mon aiguille !... Puisque tu m'aimes encore, il ne faut pas que je meure... Ah ! pauvre amour, ton beau sang d'une couleur pourpre si éclatante, je vais le boire. Dors mon seul
65 bien ; dors, mon dieu, mon enfant ; je ne te ferai pas de mal, je ne prendrai de ta vie que ce qu'il faudra pour ne pas laisser éteindre la mienne. Si je ne t'aimais pas tant, je pourrais me résoudre à avoir d'autres amants dont je tarirais[6] les veines ; mais depuis que je te connais, j'ai tout le monde en horreur...
70 Ah ! le beau bras ! comme il est rond ! comme il est blanc ! Je n'oserai jamais piquer cette jolie veine bleue. » Et, tout en disant cela, elle pleurait, et je sentais pleuvoir ses larmes sur mon bras qu'elle tenait entre ses mains. Enfin elle se décida, me fit une petite piqûre avec son aiguille et se mit à pomper
75 le sang qui en coulait. Quoiqu'elle en eût bu à peine quelques gouttes, la crainte de m'épuiser la prenant, elle m'entoura avec soin le bras d'une petite bandelette après avoir frotté la plaie d'un onguent[7] qui la cicatrisa sur-le-champ.

Je ne pouvais plus avoir de doutes, l'abbé Sérapion avait
80 raison. Cependant, malgré cette certitude, je ne pouvais m'empêcher d'aimer Clarimonde, et je lui aurais volontiers donné tout le sang dont elle avait besoin pour soutenir son existence factice[8]. D'ailleurs, je n'avais pas grand-peur ; la femme me répondait du vampire, et ce que j'avais entendu et vu me
85 rassurait complètement ; j'avais alors des veines plantureuses[9] qui ne se seraient pas de sitôt épuisées, et je ne marchandais pas ma vie goutte à goutte. Je me serais ouvert le bras

---

| **6.** Viderais. | **7.** Pommade. | **8.** Fausse. | **9.** Riches.

moi-même et je lui aurais dit : « Bois ! et que mon amour s'in-
filtre dans ton corps avec mon sang ! » J'évitais de faire la
90 moindre allusion au narcotique[10] qu'elle m'avait versé et à la
scène de l'aiguille, et nous vivions dans le plus parfait accord.
Pourtant mes scrupules de prêtre me tourmentaient plus que
jamais, et je ne savais quelle macération nouvelle inventer
pour mater et mortifier ma chair. Quoique toutes ces visions
95 fussent involontaires et que je n'y participasse en rien, je
n'osais pas toucher le Christ avec des mains aussi impures et
un esprit souillé par de pareilles débauches réelles ou rêvées.
Pour éviter de tomber dans ces fatigantes hallucinations, j'es-
sayais de m'empêcher de dormir, je tenais mes paupières
100 ouvertes avec les doigts et je restais debout au long des murs,
luttant contre le sommeil de toutes mes forces ; mais le sable
de l'assoupissement me roulait bientôt dans les yeux, et,
voyant que toute lutte était inutile, je laissais tomber les bras
de découragement et de lassitude, et le courant me rentraî-
105 nait vers les rives perfides. Sérapion me faisait les plus véhé-
mentes exhortations[11], et me reprochait durement ma mollesse
et mon peu de ferveur. Un jour que j'avais été plus agité qu'à
l'ordinaire, il me dit : « Pour vous débarrasser de cette obses-
sion, il n'y a qu'un moyen, et, quoiqu'il soit extrême, il le faut
110 employer : aux grands maux les grands remèdes. Je sais où
Clarimonde a été enterrée ; il faut que nous la déterrions et
que vous voyiez dans quel état pitoyable est l'objet de votre
amour ; vous ne serez plus tenté de perdre votre âme pour un
cadavre immonde dévoré des vers et près de tomber en
115 poudre ; cela vous fera assurément rentrer en vous-même. »
Pour moi, j'étais si fatigué de cette double vie que j'acceptai :
voulant savoir, une fois pour toutes, qui du prêtre ou du
gentilhomme était dupe d'une illusion, j'étais décidé à tuer au

---

| **10.** Somnifère. | **11.** Recommandations.

profit de l'un ou de l'autre un des deux hommes qui étaient
120 en moi ou à les tuer tous les deux, car une pareille vie ne
pouvait durer. L'abbé Sérapion se munit d'une pioche, d'un
levier et d'une lanterne, et à minuit nous nous dirigeâmes vers
le cimetière de * * *, dont il connaissait parfaitement le gise-
ment[12] et la disposition. Après avoir porté la lumière de la
125 lanterne sourde sur les inscriptions de plusieurs tombeaux,
nous arrivâmes enfin à une pierre à moitié cachée par les
grandes herbes et dévorée de mousses et de plantes parasites,
où nous déchiffrâmes ce commencement d'inscription :

Ici gît Clarimonde
130 Qui fut de son vivant
La plus belle du monde.
…

« C'est bien ici », dit Sérapion, et, posant à terre sa lanterne,
il glissa la pince dans l'interstice de la pierre et commença à
135 la soulever. La pierre céda, et il se mit à l'ouvrage avec la
pioche. Moi, je le regardais faire, plus noir et plus silencieux
que la nuit elle-même ; quant à lui, courbé sur son œuvre
funèbre il ruisselait de sueur, il haletait, et son souffle pressé
avait l'air d'un râle d'agonisant. C'était un spectacle étrange,
140 et qui nous eût vus du dehors nous eût plutôt pris pour des
profanateurs et des voleurs de linceuls, que pour des prêtres
de Dieu. Le zèle[13] de Sérapion avait quelque chose de dur et
de sauvage qui le faisait ressembler à un démon plutôt qu'à
un apôtre ou à un ange, et sa figure aux grands traits austères
145 et profondément découpés par le reflet de la lanterne n'avait
rien de très rassurant. Je me sentais perler sur les membres
une sueur glaciale, et mes cheveux se redressaient doulou-
reusement sur ma tête ; je regardais au fond de moi-même
l'action du sévère Sérapion comme un abominable sacrilège[14],

| 12. Emplacement. | 13. Énergie. | 14. Profanation du sacré.

La Morte amoureuse, d'après Théophile Gautier.
Lithographie d'après A.P. Laurens, 1904. Collection privée.

150 et j'aurais voulu que du flanc des sombres nuages qui
roulaient pesamment au-dessus de nous sortît un triangle de
feu qui le réduisit en poudre. Les hiboux perchés sur les
cyprès, inquiétés par l'éclat de la lanterne, en venaient fouetter
lourdement la vitre avec leurs ailes poussiéreuses, en jetant
155 des gémissements plaintifs ; les renards glapissaient dans le
lointain, et mille bruits sinistres se dégageaient du silence.
Enfin la pioche de Sérapion heurta le cercueil dont les planches
retentirent avec un bruit sourd et sonore, avec ce terrible bruit
que rend le néant quand on y touche ; il en renversa le
160 couvercle, et j'aperçus Clarimonde pâle comme un marbre,
les mains jointes ; son blanc suaire ne faisait qu'un seul pli de

sa tête à ses pieds. Une petite goutte rouge brillait comme une rose au coin de sa bouche décolorée. Sérapion, à cette vue, entra en fureur : « Ah ! te voilà, démon, courtisane impudique,
165 buveuse de sang et d'or ! » et il aspergea d'eau bénite le corps et le cercueil sur lequel il traça la forme d'une croix avec son goupillon[15]. La pauvre Clarimonde n'eut pas été plutôt touchée par la sainte rosée que son beau corps tomba en poussière ; ce ne fut plus qu'un mélange affreusement informe de
170 cendres et d'os à demi calcinés. « Voilà votre maîtresse, seigneur Romuald, dit l'inexorable prêtre en me montrant ces tristes dépouilles, serez-vous encore tenté d'aller vous promener au Lido et à Fusine[16] avec votre beauté ? » Je baissai la tête ; une grande ruine venait de se faire au-dedans de moi.
175 Je retournai à mon presbytère, et le seigneur Romuald, amant de Clarimonde, se sépara du pauvre prêtre, à qui il avait tenu pendant si longtemps une si étrange compagnie. Seulement, la nuit suivante, je vis Clarimonde ; elle me dit, comme la première fois sous le portail de l'église : « Malheureux !
180 malheureux ! qu'as-tu fait ? Pourquoi as-tu écouté ce prêtre imbécile ? n'étais-tu pas heureux ? et que t'avais-je fait, pour violer ma pauvre tombe et mettre à nu les misères de mon néant ? Toute communication entre nos âmes et nos corps est rompue désormais. Adieu, tu me regretteras. » Elle se dissipa
185 dans l'air comme une fumée, et je ne la revis plus.

Hélas ! elle a dit vrai : je l'ai regrettée plus d'une fois et je la regrette encore. La paix de mon âme a été bien chèrement achetée ; l'amour de Dieu n'était pas de trop pour remplacer le sien. Voilà, frère, l'histoire de ma jeunesse. Ne regardez
190 jamais une femme, et marchez toujours les yeux fixés en terre, car, si chaste et si calme que vous soyez, il suffit d'une minute pour vous faire perdre l'éternité.

---

15. Instrument pour asperger d'eau bénite.

16. Lido, Fusine : localités proches de Venise.

Repérer et analyser

Le récit rétrospectif

1 **a.** Relevez, dans le dernier paragraphe de la nouvelle, la phrase qui marque la fin du récit rétrospectif.
b. Par quel terme le narrateur désigne-t-il le destinataire de ce récit ? À quel moment (dans quel passage) a-t-il employé ce même terme ?

Le rythme de la narration (voir p. 19)

2 **a.** Quelles sont les trois scènes présentes dans cet extrait ? Citez les indications temporelles qui marquent le début de chacune d'elles.
b. Qui sont les personnages en présence ? Dans quels lieux ces scènes se déroulent-elles ?
c. En quoi chacune de ces scènes marque-t-elle une étape importante de l'action ?

3 Relevez les indications de temps entre chacune des trois scènes. La durée qui les sépare est-elle clairement indiquée ? En quoi les repères temporels sont-ils de plus en plus imprécis ? Quel est l'effet produit ?

4 Le narrateur entrecoupe la narration par des commentaires : quel commentaire fait-il sur Clarimonde et sur ses relations avec elle ?

Le fantastique

Le cadre

5 Quelles sont les scènes qui se déroulent de nuit ? Que se passe-t-il durant ces scènes ?

6 Dans la dernière scène, relevez les expressions qui évoquent les effets d'éclairage ainsi que les notations de bruits. Quelle est l'atmosphère créée par le cadre nocturne ?

Le motif du vampire

Le vampire, figure majeure de la littérature et du cinéma fantastiques, se rattache au thème du mort-vivant. Il s'agit d'un personnage qui, de son vivant, vit en marge de la société. Au moment de la mort, le cadavre ne parvient pas à trouver le repos. La nuit, il sort de sa tombe et boit le sang des vivants pendant leur sommeil afin de rester en vie.

7 **a.** La santé de Clarimonde se dégrade. Par quels signes physiques son dépérissement se traduit-il ?

b. À quel épisode le narrateur fait-il référence pour en faire comprendre les symptômes ?

8 Relisez les lignes 11 à 30.

a. Quel effet la vue et l'absorption du sang produisent-ils chez Clarimonde ? Relevez des expressions précises et notamment celles qui se réfèrent au regard.

b. Dans quel extrait le narrateur avait-il précisé la couleur des yeux de Clarimonde ? En quoi l'ensemble est-il inquiétant ?

9 Relisez les paroles que prononce Clarimonde dans les lignes 31 à 36 et 61 à 71 ainsi que le commentaire du narrateur lignes 79 à 91. En quoi le motif du vampire peut-il être compris comme une métaphore du sentiment amoureux ? Pour répondre :

– Relevez les champs lexicaux de l'amour et du sang ainsi que les expressions qui évoquent les liens fusionnels qu'entretiennent les deux personnages. En quoi les deux personnages ont besoin l'un de l'autre ?

– Appuyez-vous sur la symbolique du sang. De quoi le sang et la couleur du sang sont-ils les symboles ?

Le thème du double et le rôle de l'abbé Sérapion

> Dans les récits fantastiques, la dualité n'apparaît jamais comme source de bonheur. Il faut y remédier en « tuant » le double pour retrouver l'unité.

10 **a.** Le narrateur dit être « fatigué de cette double vie » (l. 116). Rappelez en quoi consiste cette double vie. Relevez les expressions par lesquelles il dépeint son trouble (l. 92 à 107).

b. Quelle vérité souhaite-t-il connaître ? Citez le texte. À quoi se résout-il à partir de ce moment ?

11 Montrez que l'abbé Sérapion prend de plus en plus d'importance à mesure que l'on approche de la fin de la nouvelle.

a. Combien de fois met-il le narrateur en garde ? Quelle forme de discours rapporté le narrateur choisit-il pour ces mises en garde ? Quel est l'effet produit par ce choix ?

b. « Aux grands maux les grands remèdes » (l. 110) : que veut dire l'abbé Sérapion ? Qu'a-t-il décidé de faire ? Pour quelle raison ?

12 Quelle image le narrateur donne-t-il de l'abbé Sérapion dans la dernière scène ? Appuyez-vous sur des indices précis (lexique, comparaisons). En quoi le personnage apparaît-il lui aussi comme un être à double face ?

La transgression

13 À quelle transgression Clarimonde et le narrateur se livrent-ils dans leur désir de fusion amoureuse ? En quoi les deux personnages sont-ils également impliqués ? Prenez en compte le fait qu'au XIXe siècle, les dons de sang n'étaient pas en usage.

14 Quel interdit l'abbé Sérapion transgresse-t-il alors qu'il est en train de déterrer Clarimonde ? Pourtant, qu'incarne-t-il dans la nouvelle ?

L'intrusion du surnaturel à la fin du récit

15 **a.** Lorsque Sérapion ouvre le cercueil de Clarimonde, montrez qu'elle apparaît à la fois en vie et morte. Appuyez-vous pour répondre sur les comparaisons.

b. Quels gestes l'abbé Sérapion effectue-t-il ? Qu'advient-il du corps de Clarimonde ? Le phénomène qui se produit semble-t-il naturel ou surnaturel ?

16 Quelle est la dernière intervention de Clarimonde qui clôt le récit rétrospectif ?

La visée

Les sentiments et réactions du narrateur

17 **a.** Selon le narrateur, pourquoi Clarimonde a-t-elle cessé de le poursuivre ? Quel prix a-il dû payer ?

b. Quels sont les sentiments du narrateur au terme de cette aventure ? Se repent-il de ce qu'il a vécu ou éprouve-t-il des regrets ?

La double interprétation

18 **a.** Comment interprétez-vous cette réflexion du narrateur : « quoique toutes ces visions fussent involontaires et que je n'y participasse en rien » (l. 94-95) ? Quelle interprétation est ici privilégiée par le narrateur ?

b. Quelles sont les deux explications, l'une rationnelle, l'autre surnaturelle que le lecteur peut donner à l'aventure du narrateur ? Le texte fournit-il des indices qui lui permettent de trancher ou le principe d'hésitation est-il maintenu jusqu'au bout ?

La leçon

19 **a.** Identifiez le mode des verbes de la dernière phrase. Quelle leçon le narrateur tire-t-il de son aventure ? En quoi cette nouvelle a-t-elle une visée morale ?

b. À votre avis, est-ce le bien ou le mal qui triomphe à la fin de cette nouvelle ? La réponse est-elle facile à donner ? Quel principe du fantastique retrouvez-vous ?

Écrire

Exercice de réécriture

20 Récrivez le passage qui va de la ligne 46 à la ligne 55 au présent de l'indicatif.

Changer de point de vue

21 Imaginez que ce soit Clarimonde qui raconte la scène où Romuald se blesse accidentellement en coupant un fruit.

Enquêter

Dracula

22 Cherchez des informations sur le personnage de Dracula : ses origines et sa postérité littéraire et cinématographique (*Nosferatu*).

Lire

Le thème de la morte amoureuse

23 **a.** Théophile Gautier a écrit d'autres nouvelles sur le thème de l'amour qui triomphe de la mort : *Omphale*, *La Cafetière*, *Arria Marcella*.

b. Vous pouvez lire aussi *Véra* de Villiers de L'Isle-Adam (voir p. 53) où un mari fait revivre la femme qu'il aime par la force de son amour.

Théophile Gautier

Arria Marcella

Souvenir de Pompéi

Fouilles à Pompéi (1865), Édouard Sain (1830-1910).

Extrait 1

« Un morceau de cendre noire »

Trois jeunes gens, trois amis qui avaient fait ensemble le voyage d'Italie, visitaient l'année dernière[1] le musée des Studii[2], à Naples, où l'on a réuni les différents objets antiques exhumés des fouilles de Pompéi et d'Herculanum.

5   Ils s'étaient répandus à travers les salles et regardaient les mosaïques, les bronzes[3], les fresques détachés des murs de la ville morte, selon que leur caprice les éparpillait, et quand l'un d'eux avait fait une rencontre curieuse, il appelait ses compagnons avec des cris de joie, au grand scandale des

10 Anglais taciturnes et des bourgeois posés occupés à feuilleter leur livret.

Mais le plus jeune des trois, arrêté devant une vitrine, paraissait ne pas entendre les exclamations de ses camarades, absorbé qu'il était dans une contemplation profonde. Ce qu'il exami-

15 nait avec tant d'attention, c'était un morceau de cendre noire coagulée[4] portant une empreinte creuse : on eût dit un fragment de moule de statue, brisé par la fonte[5] ; l'œil exercé d'un artiste y eût aisément reconnu la coupe d'un sein admirable et d'un flanc aussi pur de style que celui d'une statue grecque.

20 L'on sait, et le moindre guide du voyageur vous l'indique, que cette lave, refroidie autour du corps d'une femme, en a gardé le contour charmant. Grâce au caprice de l'éruption qui a

---

1. La nouvelle est publiée en 1852 ; Théophile Gautier a effectivement fait son voyage en Italie en 1851.
2. Musée archéologique national, visité par Gautier lors de son séjour à Naples.
3. Objets en bronze, par exemple de la vaisselle.

4. Cet objet a réellement existé. Le jour de l'éruption les cendres ont moulé les corps des victimes et en ont gardé les formes. Plusieurs voyageurs, en particulier Madame de Staël, parlent de ce moulage qui, depuis, est tombé en poussière.
5. Lave en fusion.

détruit quatre villes, cette noble forme, tombée en poussière depuis deux mille ans bientôt, est parvenue jusqu'à nous ; la
25 rondeur d'une gorge a traversé les siècles lorsque tant d'empires disparus n'ont pas laissé de trace ! Ce cachet de beauté, posé par le hasard sur la scorie d'un volcan, ne s'est pas effacé.

Voyant qu'il s'obstinait dans sa contemplation, les deux amis d'Octavien[6] revinrent vers lui, et Max, en le touchant à
30 l'épaule, le fit tressaillir comme un homme surpris dans son secret. Évidemment Octavien n'avait entendu venir ni Max ni Fabio.

« Allons, Octavien, dit Max, ne t'arrête pas ainsi des heures entières à chaque armoire, ou nous allons manquer l'heure
35 du chemin de fer, et nous ne verrons pas Pompéi aujourd'hui.

– Que regarde donc le camarade ? ajouta Fabio, qui s'était rapproché. Ah ! l'empreinte trouvée dans la maison d'Arrius Diomèdes[7]. »

Et il jeta sur Octavien un coup d'œil rapide et singulier.

40 Octavien rougit faiblement, prit le bras de Max, et la visite s'acheva sans autre incident. En sortant des Studii, les trois amis montèrent dans un corricolo[8] et se firent mener à la station du chemin de fer. Le corricolo, avec ses grandes roues rouges, son strapontin constellé de clous de cuivre, son cheval
45 maigre et plein de feu, harnaché comme une mule d'Espagne, courant au galop sur les larges dalles de lave, est trop connu pour qu'il soit besoin d'en faire la description ici, et d'ailleurs nous n'écrivons pas des impressions de voyage sur Naples, mais le simple récit d'une aventure bizarre et peu croyable,
50 quoique vraie.

---

6. Le prénom est issu du nom de famille d'Octave, fils adoptif de Jules César, qui devient empereur en 27 avant J.-C. sous le nom d'Auguste. C'est aussi une allusion à une nouvelle de Gérard de Nerval qui s'intitule *Octavie* et qui se déroule à Naples et à Pompéi.

7. Cette villa est située sur la voie des Tombeaux, au nord-ouest de Pompéi. Lors des fouilles menées entre 1771 et 1774, on y a retrouvé dix-sept squelettes et une empreinte de sein déposée au musée de Naples.
8. Petite calèche.

Vue générale de Pompéi (1850), lithographie de Friedrich Federer.

Le chemin de fer par lequel on va à Pompéi longe presque
toujours la mer, dont les longues volutes[9] d'écume viennent se
dérouler sur un sable noirâtre qui ressemble à du charbon
tamisé. Ce rivage, en effet, est formé de coulées de lave et de
55 cendres volcaniques, et produit, par son ton foncé, un contraste
avec le bleu du ciel et le bleu de l'eau; parmi tout cet éclat, la
terre seule semble retenir l'ombre. Les villages que l'on traverse
ou que l'on côtoie, Portici, rendu célèbre par l'opéra de
M. Auber[10], Resina, Torre del Greco, Torre dell'Annunziata,
60 dont on aperçoit en passant les maisons à arcades et les toits
en terrasses, ont, malgré l'intensité du soleil et le lait de chaux
méridional[11], quelque chose de plutonien[12] et de ferrugineux[13]
comme Manchester et Birmingham; la poussière y est noire,
une suie impalpable s'y accroche à tout; on sent que la grande
65 forge du Vésuve halète et fume à deux pas de là.

Les trois amis descendirent à la station de Pompéi, en riant
entre eux du mélange d'antique et de moderne que présentent naturellement à l'esprit ces mots: Station de Pompéi. Une
ville gréco-romaine et un débarcadère de railway !

70 Ils traversèrent le champ planté de cotonniers, sur lequel
voltigeaient quelques bourres[14] blanches, qui sépare le chemin
de fer de l'emplacement de la ville déterrée, et prirent un guide
à l'osteria[15] bâtie en dehors des anciens remparts, ou, pour
parler plus correctement, un guide les prit. Calamité qu'il est
75 difficile de conjurer en Italie.

Il faisait une de ces heureuses journées si communes à
Naples, où par l'éclat du soleil et la transparence de l'air les
objets prennent des couleurs qui semblent fabuleuses dans
le Nord, et paraissent appartenir plutôt au monde du rêve

9. Spirales formées par l'écume.
10. *La Muette de Portici* a été créé
le 29 février 1828.
11. Mélange de chaux et d'eau utilisé
pour blanchir les murs.

12. Qui se rapporte à Pluton, dieu des Enfers.
13. Qui contient du fer donc gris foncé.
14. Duvet qui recouvre les bourgeons
des cotonniers.
15. Auberge.

80 qu'à celui de la réalité. Quiconque a vu une fois cette lumière d'or et d'azur en emporte au fond de sa brume une incurable nostalgie.

La ville ressuscitée, ayant secoué un coin de son linceul de cendre, ressortait avec ses mille détails sous un jour aveuglant.
85 Le Vésuve découpait dans le fond son cône sillonné de stries[16] de laves bleues, roses, violettes, mordorées par le soleil. Un léger brouillard, presque imperceptible dans la lumière, enca-puchonnait la crête écimée[17] de la montagne ; au premier abord, on eût pu le prendre pour un de ces nuages qui, même
90 par les temps les plus sereins, estompent le front des pics élevés. En y regardant de plus près, on voyait de minces filets de vapeur blanche sortir du haut du mont comme des trous d'une cassolette[18], et se réunir ensuite en vapeur légère. Le volcan, d'humeur débonnaire[19] ce jour-là, fumait tout tran-
95 quillement sa pipe, et sans l'exemple de Pompéi ensevelie à ses pieds, on ne l'aurait pas cru d'un caractère plus féroce que Montmartre ; de l'autre côté, de belles collines aux lignes ondulées et voluptueuses comme des hanches de femme, arrê-taient l'horizon ; et plus loin la mer, qui autrefois apportait
100 les birèmes et les trirèmes[20] sous les remparts de la ville, tirait sa placide barre d'azur.

16. Rayures.
17. Dont la cime a été enlevée. L'éruption du 24 août 79 après J.-C. a fait éclater le sommet du volcan et a créé un nouveau cratère, plus petit : le Vésuve proprement dit.

18. Petit récipient dont le couvercle est percé de trous et qui sert à faire brûler des parfums.
19. Douce, pacifique.
20. Navires de l'Antiquité à deux ou trois rangs de rameurs de chaque côté.

Repérer et analyser

Le narrateur et le pacte de vérité

• Le statut du narrateur : le narrateur peut mener le récit à la 1re ou à la 3e personne selon qu'il est ou non personnage de l'histoire. Il peut être tenu en dehors des événements mais laisser néanmoins sentir sa présence en s'adressant au lecteur et en intervenant dans le récit par des commentaires, des jugements.

• Les indices de subjectivité : on appelle indices de subjectivité l'ensemble des éléments qui, dans un énoncé, révèlent la présence de l'énonciateur (du narrateur ici). Celui-ci peut :

– manifester son émotion (par le choix d'un type de phrases, d'interjections comme « hélas ! »…) ;

– exprimer un jugement (par le choix d'un lexique évaluatif, en utilisant par exemple des adjectifs comme « beau », « laid », « horrible »…).

1 À quelle personne le narrateur mène-t-il le récit ? Est-il un personnage de l'histoire qu'il raconte ?

2 a. L'histoire est-elle présentée comme réelle ou imaginaire ? Pour répondre :

– relevez un passage dans lequel le narrateur lui-même fournit une réponse à cette question ;

– prenez en compte le sous-titre et cherchez dans la biographie de l'auteur à quoi il renvoie (p. 4) ;

– relevez dans le premier paragraphe de l'extrait une indication temporelle par laquelle le narrateur se situe par rapport aux événements qu'il raconte.

b. Pour quelle raison selon vous le narrateur tient-il à fournir ces précisions ?

3 Relevez différents indices par lesquels le narrateur signale sa présence.

– Dans les lignes 20 à 27 : quels sont les trois pronoms par lesquels le narrateur s'implique dans l'histoire et implique son lecteur ? Par quel type de phrases suggère-t-il un sentiment ? Lequel et à propos de quoi ?

– Dans la suite de l'extrait : un pronom revient assez souvent. Dites lequel.

4 Le point de vue narratif

Dans tout récit se pose la question du point de vue : qui voit les événements racontés ou décrits ? Qui sait ? Le narrateur adopte le plus souvent le point de vue omniscient (le narrateur témoigne d'une connaissance complète des événements, connaissance que n'ont pas nécessairement les personnages) ou le point de vue interne (il présente les événements à travers le point de vue d'un ou plusieurs personnages : le lecteur n'en sait pas plus que le personnage, il vit l'histoire en même temps que lui).

a. Montrez, en citant des exemples, que le narrateur apparaît comme omniscient dans ce passage.

b. Montrez qu'il semble bien connaître le site. Quelles informations fournit-il par exemple sur ce site, sur les moyens de transport ?

La mise en place du récit fantastique

Le cadre spatio-temporel

5 **a.** Pouvez-vous dater l'histoire ? Aidez-vous de l'indication temporelle ligne 2 et des notes.

b. Dans quelle ville et dans quel lieu précis les personnages se trouvent-ils lorsque commence l'action ? Dans quelle ville se rendent-ils ?

c. Les lieux évoqués sont-ils réels ? Aidez-vous de la carte p. 89.

d. Quel est l'effet produit sur le lecteur par l'ensemble des éléments et précisions qui constituent le cadre spatio-temporel ? Est-il porté à croire que l'histoire qu'il va lire est vraie ?

Les personnages

6 **a.** Qui sont les principaux personnages ? Quel âge ont-ils environ ? Quelles relations entretiennent-ils ? Justifiez vos réponses.

b. Quel personnage se distingue, dès le début, des autres ? En quoi ?

Le rôle de l'objet

7 **a.** Quel objet est décrit lignes 14 à 27 ? Relevez les mots qui le caractérisent. Quelle image le narrateur en donne-t-il ? Relisez les lignes 14 à 16 : quelle expression est mise en valeur ? Par quel procédé ?

b. À quelle époque cet objet renvoie-t-il ? D'où provient-il ?

c. Quel effet produit-il sur l'un des personnages ?

La fonction de la description

La description d'un paysage peut avoir une fonction symbolique, traduisant un état d'âme (tristesse du personnage ou du paysage). Dans un récit fantastique, elle peut comporter des indices qui suggèrent la mort, l'étrangeté, l'inquiétude…

8 Quel est le paysage décrit ? Montrez qu'il offre des effets de contraste :
– par l'impression générale qui s'en dégage : appuyez-vous sur les notations visuelles (lumières, formes, couleurs) ;
– par la présence d'indices qui évoquent la mort : relevez des termes précis à partir de la ligne 51 (couleur, lexique…).

9 La personnification

La personnification consiste à attribuer des caractéristiques humaines à un animal ou à une chose.

Relevez les personnifications du Vésuve lignes 85 à 101. En quoi l'image qui en résulte contraste-t-elle avec celle de Pompéi ensevelie ?

10 Relevez le lexique et la comparaison qui confèrent un caractère féminin et sensuel au paysage. En quoi cette comparaison peut-elle annoncer un des thèmes de la nouvelle ?

11 La luminosité semble abolir la frontière entre deux mondes : lesquels ? Justifiez votre réponse en citant le texte. En quoi cette précision peut-elle constituer un indice pour la suite ?

Les hypothèses de lecture

12 Relevez les deux adjectifs par lesquels le narrateur qualifie l'histoire qu'il va raconter. Quelles hypothèses le lecteur peut-il émettre ?

13 **a.** Quelle est l'origine du nom « Arrius Diomèdes » cité aux lignes 37-38 ? En quoi ce nom peut-il éclairer le titre de la nouvelle ?
b. En quoi le début de la nouvelle (notamment l'évocation de Pompéi), vous semble-t-elle fournir des indices pour la suite ?

Enquêter

Pompéi

14 Localisez la ville de Pompéi sur une carte d'Italie. Faites une recherche sur la catastrophe qui a frappé la ville.

Se documenter

Le moulage des corps

« C'est Fiorelli en février 1863 qui eut, le premier, l'ingénieuse idée de mouler les Pompéiens dont on retrouvait les corps. […] Les cendres humides se moulaient étroitement sur le cadavre, pénétrant dans tous les creux de son visage, dans les plis de ses vêtements. En se solidifiant autour du corps dont les chairs se conservaient, elles gardaient en creux l'empreinte du corps et emprisonnaient le squelette. Il suffisait de couler dans ce creux du plâtre liquide pour que réapparaissent fidèlement les traits, les gestes, l'ultime attitude des Pompéiens. »

Robert Étienne, *La Vie quotidienne à Pompéi*, Hachette, 1977.

La Campanie

Extrait 2

« Dix-neuf siècles en arrière »

L'aspect de Pompéi est des plus surprenants, ce brusque
saut de dix-neuf siècles en arrière étonne même les natures
les plus prosaïques[1] et les moins compréhensives ; deux pas
vous mènent de la vie antique à la vie moderne, et du chris-
5 tianisme au paganisme[2] ; aussi lorsque les trois amis virent
ces rues où les formes d'une existence évanouie sont conser-
vées intactes, éprouvèrent-ils, quelque préparés qu'ils y
fussent par les livres et les dessins, une impression aussi
étrange que profonde. Octavien surtout semblait frappé de
10 stupeur et suivait machinalement le guide d'un pas de
somnambule, sans écouter la nomenclature[3] monotone et
apprise par cœur que ce faquin[4] débitait comme une leçon.

Il regardait d'un œil effaré ces ornières de char creusées
dans le pavage cyclopéen[5] des rues et qui paraissent dater
15 d'hier tant l'empreinte en est fraîche ; ces inscriptions tracées
en lettres rouges, d'un pinceau cursif[6], sur les parois des
murailles : affiches de spectacle, demandes de location,
formules votives[7], enseignes, annonces de toutes sortes,
curieuses comme le serait dans deux mille ans, pour les
20 peuples inconnus de l'avenir, un pan de mur de Paris retrouvé
avec ses affiches et ses placards[8] ; ces maisons aux toits effon-
drés laissant pénétrer d'un coup d'œil tous ces mystères d'intérieur, tous ces détails domestiques que négligent les
historiens et dont les civilisations emportent le secret avec
25 elles ; ces fontaines à peine taries, ce forum surpris au milieu

---

1. Terre à terre.
2. Ensemble des croyances païennes
qui précèdent le christianisme.
3. Liste.
4. Personne sans intérêt.

5. Comme taillé par un cyclope, gigantesque.
6. Écrit rapidement.
7. Pour remercier lorsqu'un souhait est réalisé.
8. Avis collés sur un mur.

d'une réparation[9] par la catastrophe, et dont les colonnes,
les architraves[10] toutes taillées, toutes sculptées, attendent
dans leur pureté d'arête qu'on les mette en place ; ces temples
voués à des dieux passés à l'état mythologique et qui alors
30 n'avaient pas un athée ; ces boutiques où ne manque que le
marchand ; ces cabarets où se voit encore sur le marbre la
tache circulaire laissée par la tasse des buveurs ; cette caserne
aux colonnes peintes d'ocre et de minium[11] que les soldats
ont égratignée de caricatures de combattants, et ces doubles
35 théâtres de drame et de chant juxtaposés, qui pourraient
reprendre leurs représentations, si la troupe qui les desser-
vait, réduite à l'état d'argile, n'était pas occupée, peut-être,
à luter le bondon[12] d'un tonneau de bière ou à boucher une
fente de mur, comme la poussière d'Alexandre et de César,
40 selon la mélancolique réflexion d'Hamlet[13].

Fabio monta sur le thymelé[14] du théâtre tragique tandis
qu'Octavien et Max grimpaient jusqu'en haut des gradins,
et là il se mit à débiter avec force gestes les morceaux de
poésie qui lui venaient à la tête, au grand effroi des lézards,
45 qui se dispersaient en frétillant de la queue et en se tapissant
dans les fentes des assises[15] ruinées ; et quoique les vases d'airain ou de terre[16], destinés à répercuter les sons, n'existas-
sent plus, sa voix n'en résonnait pas moins pleine et vibrante.

Le guide les conduisit ensuite à travers les cultures
50 qui recouvrent les portions de Pompéi encore ensevelies,

---

9. La ville de Pompéi avait été
endommagée par un premier tremblement de terre le 5 février 62 après J.-C. ;
au moment de l'éruption du Vésuve,
en 79 après J.-C., certains monuments
étaient en reconstruction.
10. Blocs sculptés posés au-dessus des
chapiteaux de colonnes.
11. Peinture rouge.
12. Passer du lut (enduit très résistant)
sur le bouchon d'un tonneau pour éviter
les fuites.

13. Ce personnage de Shakespeare
imagine que la poussière qui reste du
corps d'Alexandre le Grand ou de César
sert à rendre hermétique un tonneau ou à
boucher une fente dans un mur.
14. Autel circulaire dédié à Bacchus, placé
au centre, au pied des gradins du théâtre.
15. Rangées de pierres.
16. Pour assurer une meilleure acous-
tique, on mettait des vases de bronze
ou de terre dans des niches dans le mur
du fond du théâtre.

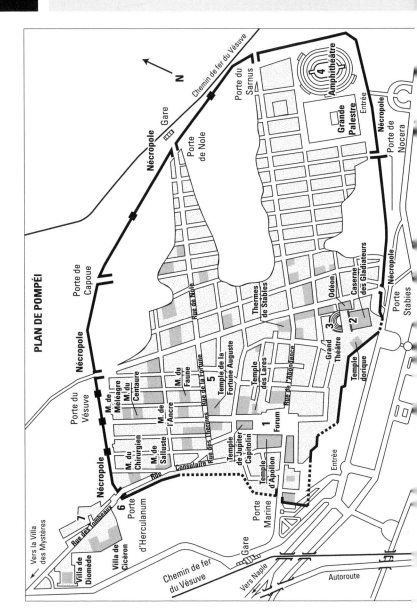

à l'amphithéâtre, situé à l'autre extrémité de la ville. Ils marchèrent sous ces arbres dont les racines plongent dans les toits des édifices enterrés, en disjoignent les tuiles, en fendent les plafonds, en disloquent les colonnes, et passèrent
55 par ces champs où de vulgaires légumes fructifient sur des merveilles d'art, matérielles images de l'oubli que le temps déploie sur les plus belles choses.

L'amphithéâtre ne les surprit pas. Ils avaient vu celui de Vérone, plus vaste et aussi bien conservé, et ils connaissaient
60 la disposition de ces arènes antiques aussi familièrement que celle des places de taureaux en Espagne, qui leur ressemblent beaucoup, moins la solidité de la construction et la beauté des matériaux.

Ils revinrent donc sur leurs pas, gagnèrent par un chemin
65 de traverse la rue de la Fortune, écoutant d'une oreille distraite le cicerone[17], qui en passant devant chaque maison la nommait du nom qui lui a été donné lors de sa découverte, d'après quelque particularité caractéristique : la maison du Taureau de bronze, la maison du Faune, la maison du Vaisseau, le
70 temple de la Fortune, la maison de Méléagre, la taverne de la Fortune à l'angle de la rue Consulaire, l'académie de Musique, le Four banal, la Pharmacie, la boutique du Chirurgien, la Douane, l'habitation des Vestales, l'auberge d'Albinus, les Thermopoles, et ainsi de suite jusqu'à la porte qui conduit à
75 la voie des Tombeaux.

Cette porte en briques, recouverte de statues, et dont les ornements ont disparu, offre dans son arcade intérieure deux profondes rainures destinées à laisser glisser une herse[18] comme un donjon du Moyen Âge à qui l'on aurait cru ce
80 genre de défense particulier.

« Qui aurait soupçonné, dit Max à ses amis, Pompéi, la ville gréco-latine, d'une fermeture aussi romantiquement gothique ?

| **17.** Guide. | **18.** Grille que l'on baissait.

Vous figurez-vous un chevalier romain attardé, sonnant du cor devant cette porte pour se faire lever la herse, comme un
85 page du XVe siècle ?

– Rien n'est nouveau sous le soleil, répondit Fabio, et cet aphorisme[19] lui-même n'est pas neuf, puisqu'il a été formulé par Salomon.

– Peut-être y a-t-il du nouveau sous la lune ! continua
90 Octavien en souriant avec une ironie mélancolique.

– Mon cher Octavien, dit Max, qui pendant cette petite conversation s'était arrêté devant une inscription tracée à la rubrique[20] sur la muraille extérieure, veux-tu voir des combats de gladiateurs ? Voici les affiches : – Combat et chasse pour
95 le 5 des nones[21] d'avril, – les mâts seront dressés, – vingt paires de gladiateurs lutteront aux nones, – et si tu crains pour la fraîcheur de ton teint, rassure toi, on tendra les voiles[22] ; à moins que tu ne préfères te rendre à l'amphithéâtre de bonne heure, ceux-ci se couperont la gorge le matin – *matutini*
100 *erunt*[23] ; on n'est pas plus complaisant. »

En devisant de la sorte, les trois amis suivaient cette voie bordée de sépulcres[24] qui, dans nos sentiments modernes, serait une lugubre avenue pour une ville, mais qui n'offrait pas les mêmes significations tristes pour les anciens, dont les
105 tombeaux, au lieu d'un cadavre horrible, ne contenaient qu'une pincée de cendres, idée abstraite de la mort[25]. L'art embellissait ces dernières demeures, et, comme dit Gœthe, le païen décorait des images de la vie les sarcophages et les urnes.

C'est ce qui faisait sans doute que Max et Fabio visitaient,
110 avec une curiosité allègre et une joyeuse plénitude d'existence qu'ils n'auraient pas eues dans un cimetière chrétien,

---

19. Formule.
20. Terre rouge.
21. Les mois romains comportaient trois divisions : les calendes, les nones et les ides.

22. On tendait de grandes pièces de tissu (*velum*) au-dessus des théâtres pour protéger les spectateurs du soleil.
23. « Ils seront matinaux ».

24. Tombes.
25. À cette époque, les Romains incinéraient, c'est-à-dire brûlaient, leurs morts.

ces monuments funèbres si gaiement dorés par le soleil et qui,
placés sur le bord du chemin, semblent se rattacher encore à
la vie et n'inspirent aucune de ces froides répulsions, aucune
115 de ces terreurs fantastiques que font éprouver nos sépultures
lugubres. Ils s'arrêtèrent devant le tombeau de Mammia, la
prêtresse publique, près duquel est poussé un arbre, un cyprès
ou un peuplier ; ils s'assirent dans l'hémicycle du triclinium[26]
des repas funéraires, riant comme des héritiers ; ils lurent avec
120 force lazzi[27], les épitaphes[28] de Nevoleja, de Labeon et de la
famille Arria, suivis d'Octavien, qui semblait plus touché que
ses insouciants compagnons du sort de ces trépassés de deux
mille ans.

Rue de Pompéi, **gravure de Giovanni Piranese (1720-1778).**

| **26.** Salle à manger. | **27.** Plaisanteries. | **28.** Inscriptions funéraires.

Repérer et analyser

Le cadre et l'action

1 **a.** « Lorsque les trois amis virent ces rues » (l. 5-6) : rappelez qui sont les personnages.
b. Quelle ville visitent-ils ? Quel personnage les accompagne ?

2 **a.** Relevez dans les débuts de paragraphe les verbes et expressions indiquant les déplacements des personnages puis faites la liste des différents sites qu'ils visitent.
b. S'agit-il de lieux existants ? Appuyez-vous sur le plan (p. 92) pour répondre. Vous reconstituerez le trajet des personnages.

3 Relevez quelques exemples de termes qui se réfèrent à la ville antique. S'agit-il de termes authentiques ou fantaisistes ? Quel est l'effet produit par leur emploi ?

La mise en place du fantastique

Le narrateur du récit fantastique prépare le lecteur à l'irruption du phénomène fantastique en procédant par paliers : dès le début du récit, il dispose des indices qui le mettent en condition d'accepter, par la suite, l'étrange.

4 Dans le premier paragraphe, relevez les deux adjectifs qui qualifient l'impression ressentie par les personnages à la vue de Pompéi.

5 Combien de lignes le narrateur consacre-t-il à l'évocation de la porte qui mène aux tombeaux et à l'évocation des tombeaux eux-mêmes ? Quel est le thème qui est introduit ici ?

6 **a.** Repérez la longue énumération des lignes 13 à 40 : quelle est la fonction grammaticale des termes qui la constituent ?
b. Relevez dans cette liste les groupes nominaux qui montrent que la vie est comme suspendue et qu'elle pourrait reprendre. Quel est l'effet produit ?

7 Relevez les comparaisons des lignes 5 à 21, 76 à 80 et 83 à 85. À quelles différentes époques renvoient-elles ? Quel est l'effet produit par ce mélange des époques ?

8 Quelle proposition Max fait-il à Octavien lignes 91 à 100 ? Quel temps verbal utilise-t-il essentiellement ? Quelle est l'effet produit ?

9 **a.** Quelle est la seule réplique prononcée par Octavien dans cet extrait ? En quoi cette réplique peut-elle se comprendre comme l'annonce d'un événement étrange ?

b. En quoi Octavien se distingue-t-il des autres personnages par ses réactions (lignes 1 à 12 et 109 à 123) ?

La visée et les hypothèses de lecture

10 Faites une synthèse de vos réponses et dites en quoi l'ensemble de ces indices renvoie à l'étrange. Le lecteur peut-il avoir une idée de la nature du phénomène fantastique qui va survenir ?

Écrire

Rédiger une affiche

11 Lors de leur visite, les trois amis découvrent des « affiches de spectacle, demande de location… enseignes, annonces de toutes sortes. » Imaginez une de ces inscriptions, en français ou, pourquoi pas, en latin !

Écrire une lettre

12 Octavien écrit une lettre à un de ses amis resté en France et lui raconte sa visite de Pompéi. Vous tiendrez compte de ce que vous savez du personnage.

Lire

Récit de la mort de Pline l'Ancien

« En cet instant, au sommet du Vésuve brillaient en nombre de points de larges langues et de hautes colonnes de feu que l'obscurité de la nuit rendait plus rougeoyantes et plus vives encore. Des foyers restés allumés chez les paysans dans leur précipitation à fuir et des villas abandonnées brûlaient dans la solitude : c'est ce que mon oncle disait et répétait, dans le désir d'apaiser les angoisses. Alors il prit du repos et dormit du sommeil le plus complet : en effet, ceux-là mêmes qui allaient et venaient sur son seuil distinguaient sa respiration rendue plus profonde et sonore par sa corpulence. Pourtant, la cour qui donnait sur son appartement n'était déjà qu'un amas de cendres et de pierres ponces qui s'élevaient si haut qu'il ne pouvait demeurer plus longtemps dans sa chambre sans crainte de n'en plus pouvoir sortir. On l'éveille, il retrouve Pomponianus et tous ceux qui avaient veillé toute la nuit. Tous se consultent : faut-il demeurer à l'abri ou errer en un lieu découvert ? Par des tremblements de terre répétés et amples les maisons étaient secouées ; elles semblaient arrachées de leurs fondements et oscillaient de droite et de gauche. En terrain découvert au contraire, pleuvaient des fragments de pierres ponces, légers et poreux certes, mais qui semblaient redoutables. C'est pourtant à cette solution qu'on se rallia, tout bien considéré ; chez mon oncle, ce fut par raison, chez les autres, par comparaison des périls. On se pose sur la tête des oreillers retenus par des linges ; ce fut leur protection contre tous ces projectiles.

Or, c'était le jour, mais tout alentour une nuit, plus épaisse qu'aucune autre, régnait, pourtant atténuée par un grand nombre de feux et de diverses lumières. On décida de se rendre au rivage pour voir sur place s'il était devenu possible d'embarquer. Là, on étendit un linge ; mon oncle s'y coucha. Il réclama à satiété de l'eau fraîche et la but ; mais à l'approche des flammes et à l'odeur du soufre qui les annonce, ses compagnons prennent la fuite non sans l'éveiller. Il veut se lever avec l'aide de deux esclaves ; aussitôt il retombe. Selon moi, l'air épaissi par la cendre obstrua sa respiration et son larynx, naturellement délicat, resserré et souvent oppressé. Le jour suivant, le troisième depuis celui qu'il avait vu se lever pour la dernière fois, on trouva son corps intact, parfaitement conservé et couvert des habits qu'il avait revêtus en partant ; il ressemblait, plus qu'à un mort, à un homme endormi. »

Lettre de Pline le Jeune à Tacite.
Pline le Jeune, *Lettres*, Livre VI, lettre 16, DR.

Extrait 3
« La villa d'Arrius Diomèdes »

Ils arrivèrent ainsi à la villa d'Arrius Diomèdes[1], une des habitations les plus considérables de Pompéi. On y monte par des degrés de briques, et lorsqu'on a dépassé la porte flanquée de deux petites colonnes latérales, on se trouve dans une
5 cour semblable au *patio* qui fait le centre des maisons espagnoles et moresques et que les anciens appelaient *impluvium* ou *cavœdium*; quatorze colonnes de briques recouvertes de stuc[2] forment, des quatre côtés, un portique ou péristyle couvert, semblable au cloître des couvents, et sous lequel on
10 pouvait circuler sans craindre la pluie. Le pavé de cette cour est une mosaïque de briques et de marbre blanc, d'un effet doux et tendre à l'œil. Dans le milieu, un bassin de marbre quadrilatère, qui existe encore, recevait les eaux pluviales qui dégouttaient[3] du toit du portique. Cela produit un singulier
15 effet d'entrer ainsi dans la vie antique et de fouler avec des bottes vernies des marbres usés par les sandales et les cothurnes[4] des contemporains d'Auguste et de Tibère.

Le cicerone les promena dans l'exèdre ou salon d'été, ouvert du côté de la mer pour en aspirer les fraîches brises. C'était
20 là qu'on recevait et qu'on faisait la sieste pendant les heures brûlantes, quand soufflait ce grand zéphyr africain chargé de langueurs et d'orages. Il les fit entrer dans la basilique, longue galerie à jour qui donne de la lumière aux appartements et où les visiteurs et les clients attendaient que le nomenclateur[5]
25 les appelât; il les conduisit ensuite sur la terrasse de marbre

---

1. Le nom attribué à la maison vient de l'inscription funéraire à la famille Arria, qui se trouve face à l'entrée de la demeure.
2. Sorte de plâtre qui imite le marbre.

3. Tombaient en gouttes.
4. Chaussures montantes à lacets.
5. Serviteur qui annonce le nom des visiteurs.

Jardins de la maison de Diomèdes, décor pour l'opéra
Les Derniers Jours de Pompéi (1827).

blanc d'où la vue s'étend sur les jardins verts et sur la mer
bleue ; puis il leur fit voir le *nymphæum* ou salle de bain, avec
ses murailles peintes en jaune, ses colonnes de stuc, son pavé
de mosaïque et sa cuve de marbre qui reçut tant de corps
30 charmants évanouis comme des ombres ; le *cubiculum*[6], où
flottèrent tant de rêves venus de la porte d'ivoire[7], et dont les
alcôves pratiquées dans le mur étaient fermées par un *cono-*

6. Chambre à coucher.
7. Selon Homère, les songes passent par deux portes :
l'une de corne s'ils sont vrais, l'autre de marbre s'ils sont trompeurs.

peum ou rideau dont les anneaux de bronze gisent encore à terre, le tétrastyle ou salle de récréation, la chapelle des dieux

35 lares[8], le cabinet des archives, la bibliothèque, le musée des tableaux, le gynécée ou appartement des femmes, composé de petites chambres en partie ruinées, dont les parois conservent des traces de peintures et d'arabesques comme des joues dont on a mal essuyé le fard.

40 Cette inspection terminée, ils descendirent à l'étage inférieur, car le sol est beaucoup plus bas du côté du jardin que du côté de la voie des Tombeaux; ils traversèrent huit salles peintes en rouge antique, dont l'une est creusée de niches architecturales, comme on en voit au vestibule de la salle des

45 Ambassadeurs à l'Alhambra, et ils arrivèrent enfin à une espèce de cave ou de cellier dont la destination était clairement indiquée par huit amphores d'argile dressées contre le mur et qui avaient dû être parfumées de vin de Crète, de Falerne et de Massique[9] comme des odes d'Horace[10].

50 Un vif rayon de jour passait par un étroit soupirail obstrué d'orties, dont il changeait les feuilles traversées de lumières en émeraudes et en topazes, et ce gai détail naturel souriait à propos à travers la tristesse du lieu.

« C'est ici, dit le cicerone de sa voix nonchalante, dont le

55 ton s'accordait à peine avec le sens des paroles, que l'on trouva, parmi dix-sept squelettes, celui de la dame dont l'empreinte se voit au musée de Naples. Elle avait des anneaux d'or, et les lambeaux de sa fine tunique adhéraient encore aux cendres tassées qui ont gardé sa forme. »

60 Les phrases banales du guide causèrent une vive émotion à Octavien. Il se fit montrer l'endroit exact où ces restes

---

8. Dieux chargés de protéger la maison.
9. La Crète (île au large de la Grèce), la région de Falerne et du Massique (au nord de Naples) étaient réputées pour leurs vins.
10. Poète latin du Ier siècle avant J.-C. qui vante ces vins dans des odes ou poèmes.

précieux avaient été découverts, et s'il n'eût été contenu par la présence de ses amis, il se serait livré à quelque lyrisme extravagant ; sa poitrine se gonflait, ses yeux se trempaient
65 de furtives moiteurs : cette catastrophe, effacée par vingt siècles d'oubli, le touchait comme un malheur tout récent ; la mort d'une maîtresse ou d'un ami ne l'eût pas affligé davantage, et une larme en retard de deux mille ans tomba, pendant que Max et Fabio avaient le dos tourné, sur la place où cette
70 femme, pour laquelle il se sentait pris d'un amour rétrospectif, avait péri étouffée par la cendre chaude du volcan.

« Assez d'archéologie comme cela ! s'écria Fabio ; nous ne voulons pas écrire une dissertation sur une cruche ou une tuile du temps de Jules César pour devenir membres d'une
75 académie de province, ces souvenirs classiques me creusent l'estomac. Allons dîner, si toutefois la chose est possible, dans cette osteria pittoresque, où j'ai peur qu'on ne nous serve que des biftecks fossiles et des œufs frais pondus avant la mort de Pline[11].

80 – Je ne dirai pas comme Boileau[12] :

Un sot, quelquefois,
ouvre un avis important,

fit Max, en riant, ce serait malhonnête ; mais cette idée a du bon. Il eût été pourtant plus joli de festiner[13] ici, dans un *tricli-*
85 *nium* quelconque, couchés à l'antique, servis par des esclaves, en manière de Lucullus ou de Trimalcion[14]. Il est vrai que je ne vois pas beaucoup d'huîtres du lac Lucrin[15] ; les turbots et les rougets de l'Adriatique sont absents ; le sanglier d'Apulie[16]

---

11. Pline l'Ancien, amiral de la flotte romaine et grand savant de son temps, est mort lors de l'éruption du Vésuve, le 24 août 79 après J.-C. (voir p. 97).
12. Poète français du XVIIᵉ siècle.
13. Faire un festin.

14. Lucullus, général romain, a vécu au Iᵉʳ s. av. J.-C., Trimalcion est un personnage du roman de Pétrone : *Le Satiricon*. Ils sont connus pour leur amour de la bonne cuisine.
15. Lac d'eau marine, près de Naples.
16. Région à l'est de Naples, donnant sur l'Adriatique.

manque sur le marché ; les pains et les gâteaux au miel figurent au musée de Naples aussi durs que des pierres à côté de
leurs moules vert-de-grisés[17] ; le macaroni cru, saupoudré de
cacio-cavallo[18], quoiqu'il soit détestable, vaut encore mieux
que le néant. Qu'en pense le cher Octavien ? »

Octavien, qui regrettait fort de ne pas s'être trouvé à Pompéi
le jour de l'éruption du Vésuve pour sauver la dame aux
anneaux d'or et mériter ainsi son amour, n'avait pas entendu
une phrase de cette conversation gastronomique. Les deux
derniers mots prononcés par Max le frappèrent seuls, et
comme il n'avait pas envie d'entamer une discussion, il fit, à
tout hasard, un signe d'assentiment, et le groupe amical reprit,
en côtoyant les remparts, le chemin de l'hôtellerie.

E. BRETON

La voie des Tombeaux.

17. Couleur verdâtre due à l'oxydation
du cuivre ou du bronze.

18. Fromage typique de l'Italie du sud,
en forme de gourde.

Repérer et analyser

Les circonstances

1 Rappelez qui sont les personnages en présence. Dans quel lieu se trouvent-ils ?

2 Dans quel extrait le narrateur a-t-il évoqué le nom d'Arrius Diomèdes ? À quel objet était-il associé ?

La description

L'organisation de la description

> Le narrateur dispose de divers modes d'organisation pour décrire un lieu.
> – La description spatiale : l'espace s'organise à partir d'indications de lieu (en haut, en bas, à droite, à gauche, autour, devant, plus loin…).
> – La description temporelle : les lieux sont décrits au fur et à mesure de leur découverte par un personnage. Les indications temporelles (d'abord, puis, ensuite, enfin…) soulignent l'impression de mouvement.

3 **a.** Quelle est la pièce de la maison décrite dans le premier paragraphe ?

b. Quels sont les éléments décrits de la ligne 7 à la ligne 14 ? Dans quel ordre le sont-ils ?

4 **a.** Relevez dans les lignes 18 à 49 les verbes de mouvement et les indications temporelles.

b. Sur combien d'étages les personnages se déplacent-ils ? Quelles différentes pièces visitent-ils ? Repérez-les sur le plan p. 106.

c. Dans quel ordre la description s'organise-t-elle ?

La caractérisation des lieux

5 Quelle image le narrateur donne-t-il de la maison ? Appuyez-vous :
– sur un relevé des matériaux cités, des éléments décoratifs, des couleurs ;
– sur le nombre de compléments d'objet du verbe « voir » (l. 27).

6 Relevez la comparaison se référant au gynécée. Expliquez-la et justifiez le choix de cette comparaison.

Le regard du narrateur

7 Montrez que le narrateur témoigne d'une connaissance parfaite du lieu et de son histoire. Appuyez-vous pour répondre sur le pronom utilisé dans le premier paragraphe et au début du second, sur les explications qu'il donne et sur l'utilisation des termes qui renvoient à l'Antiquité romaine. Citez-en quelques-unes et donnez leur sens.

8 Relevez dans les lignes 1 à 12 trois adjectifs évaluatifs (voir p. 86) par lesquels le narrateur exprime un jugement sur la maison. Quel est-il ?

Les personnages

Le héros et ses amis

Le héros du récit fantastique est souvent un personnage jeune, sensible et rêveur. Il est le plus souvent entouré d'amis qui le ramènent à la réalité.

9 a. Par quel pronom les visiteurs sont-ils désignés jusqu'à la ligne 53 ?
b. À quel moment Octavien se distingue-t-il brusquement des autres personnages ?
c. Comment son émotion se traduit-elle ? Comparez sa réaction dans ce passage à celle qu'il avait eue au musée de Naples. Est-il plus ou moins ému ?
10 a. Montrez, en citant le texte, que ses amis le ramènent à la réalité.
b. Quelle proposition lui font-ils à partir de la ligne 76 pour la suite de la soirée ?
11 L'ironie

Se montrer ironique, c'est faire preuve d'une attitude moqueuse.

a. En quoi Max se montre-t-il ironique lorsqu'il évoque le dîner qu'ils vont faire ?
b. En quoi fait-il également preuve d'une grande culture ?

La mise en place du fantastique

12 Quel est le « singulier effet » dont il est question aux lignes 14-15 ?
13 Quels sont les temps verbaux de l'indicatif employés dans les lignes 18 à 39 ?
a. Pour les temps du passé : dites dans quel cas ils renvoient au moment de l'histoire (c'est-à-dire de la visite), dans quel cas ils se rapportent à l'époque de l'Antiquité romaine.

b. Pour le présent : dites dans quel cas il renvoie au moment de l'énonciation (de l'écriture), dans quel cas il se rapporte à une époque indéterminée (vérité générale).

c. Quel est l'effet produit par ces mélanges des époques ?

14 Quel sens donnez-vous à l'expression la « larme en retard de deux mille ans » d'Octavien (l. 68) ?

15 Montrez en citant quelques exemples que le narrateur s'attache à travers la description à faire revivre des scènes de l'Antiquité. En quoi l'imagination du lecteur est-elle sollicitée ?

Les hypothèses de lecture

16 Quel sentiment Octavien commence-t-il à éprouver pour « la dame aux anneaux d'or » (lignes 57-58) ? À quelle suite le lecteur peut-il s'attendre ?

Se documenter

Plan de la villa d'Arrius Diomèdes

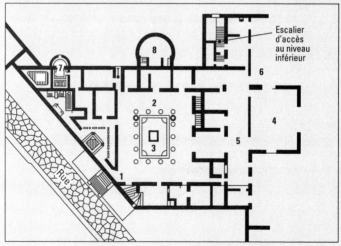

1 Entrée
2 Péristyle
3 Bassin
4 Exèdre ou salon d'été
5 Basilique
6 Terrasse
7 *Nymphæum* ou salle de bain
8 *Cubiculum*

Comparer

Lire une description

« Villa de Diomèdes (plan A2). – Dépouillée de ses magnifiques peintures (au musée de Naples), cette grande villa suburbaine n'a plus ce caractère élégant et raffiné qu'elle devait présenter sous l'Antiquité.

L'entrée donne directement sur le péristyle où s'ouvrait à gauche un bain particulier (portique et piscine). Sur le côté, une anti-chambre dessert une salle absidiale à trois fenêtres, sans doute une alcôve diurne.

Du *tablinum*, au fond du péristyle, on accédait à une grande galerie et à une terrasse *solarium*. Un escalier et une rampe descendaient dans un immense jardin, le plus grand de Pompéi, entouré d'un quadriportique à pilastres dont les fenêtres regardaient la campagne.

Au centre du jardin, une piscine et un *triclinium* d'été. En dessous, le cryptoportique où furent découvertes dix-huit victimes de la catastrophe. »

Guide bleu, *Italie du sud*, Hachette, 1977.

17 **a.** De quel ouvrage cette description est-elle extraite ? À qui ce genre d'ouvrages s'adresse-t-il ?
b. Relevez les termes qui organisent la description. Par quel procédé typographique les différentes parties de la maison sont-elles mises en relief ?
c. Cette description vous paraît-elle objective ou subjective, mélio-rative ou péjorative ? Comparez l'impression qui se dégage de cette description avec celle que vous avez éprouvée en lisant l'évocation de la même maison dans la nouvelle.

Extrait 4

« Quelquefois aussi il aimait des statues »

L'on dressa la table sous l'espèce de porche ouvert qui sert de vestibule à l'osteria, et dont les murailles, crépies à la chaux, étaient décorées de quelques croûtes qualifiées par l'hôte[1] : Salvator Rosa, Espagnolet, cavalier Massimo[2] et autres
5   noms célèbres de l'école napolitaine, qu'il se crut obligé d'exalter.

« Hôte vénérable, dit Fabio, ne déployez pas votre éloquence en pure perte. Nous ne sommes pas des Anglais, et nous préférons les jeunes filles aux vieilles toiles. Envoyez-nous plutôt
10   la liste de vos vins par cette belle brune, aux yeux de velours, que j'ai aperçue dans l'escalier. »

Le palforio[3], comprenant que ses hôtes n'appartenaient pas au genre mystifiable des philistins[4] et des bourgeois, cessa de vanter sa galerie pour glorifier sa cave. D'abord, il avait tous
15   les vins des meilleurs crus : Château Margaux, grand-Lafite retour des Indes, Sillery de Moët, Hochmeyer, Scarlat-wine, Porto et porter, ale et gingerbeer, Lacryma Christi blanc et rouge, Capri et Falerne[5].

---

1. Aubergiste.
2. Peintres italiens du XVIIe siècle, Salvator Rosa dit Ribera dit Espagnolet à cause de ses origines et Massimo Stanzione dit Cavalier Massimo, étaient très célèbres dans la région napolitaine. Il semble toutefois que les tableaux de l'auberge n'aient pas été exécutés par ces artistes fameux : Fabio les qualifie de « croûtes », et l'aubergiste abandonne vite toute idée de les vendre.
3. Nom donné par Musset à un hôtelier dans une pièce de théâtre, employé ici comme nom commun.
4. Personnes qui ne connaissent rien en art.

5. L'aubergiste cite de grands crus français, anglais et italiens en dernier : le Lacryma Christi, fait avec les vignes qui poussent sur les pentes du Vésuve, le vin de Falerne, proche de Pompéi et celui de Capri, île au large de Naples. Max reproche à l'aubergiste de ne pas avoir « le sentiment de la couleur locale » car il souhaite boire un vin italien. La réponse de l'aubergiste fait sourire car il prend les questions de Max au pied de la lettre et montre une grande méconnaissance de l'Antiquité. Par contre, il indique immédiatement le prix de la bouteille.

Fresque de la villa des Mystères : la maîtresse de maison.

« Quoi ! tu as du vin de Falerne, animal, et tu le mets
20 à la fin de ta nomenclature ; tu nous fais subir une litanie
œnologique[6] insupportable, dit Max en sautant à la gorge de
l'hôtelier avec un mouvement de fureur comique ; mais tu n'as
donc pas le sentiment de la couleur locale ? tu es donc indigne
de vivre dans ce voisinage antique ?

25 Est-il bon au moins, ton Falerne ? a-t-il été mis en amphore
sous le consul Plancus ? – *consule Planco*[7].

– Je ne connais pas le consul Plancus, et mon vin n'est pas
mis en amphore, mais il est vieux et coûte dix carlins la
bouteille », répondit l'hôte.

30 Le jour était tombé et la nuit était venue, nuit sereine et
transparente, plus claire, à coup sûr, que le plein midi de
Londres ; la terre avait des tons d'azur et le ciel des reflets
d'argent d'une douceur inimaginable ; l'air était si tranquille
que la flamme des bougies posées sur la table n'oscillait même
35 pas.

Un jeune garçon jouant de la flûte s'approcha de la table et
se tint debout, fixant ses yeux sur les trois convives, dans une
attitude de bas-relief[8], et soufflant dans son instrument aux
sons doux et mélodieux, quelqu'une de ces cantilènes[9] popu-
40 laires en mode mineur dont le charme est pénétrant.

Peut-être ce garçon descendait-il en droite ligne du flûteur
qui précédait Duilius[10].

« Notre repas s'arrange d'une façon assez antique ; il ne
nous manque que des danseuses gaditanes[11] et des couronnes
45 de lierre, dit Fabio en se versant une large rasade de vin de
Falerne.

---

6. Qui se rapporte au vin.
7. Consul romain en 42 avant J.-C.
8. Sculpture.
9. Chansons.
10. Pour récompenser Duilius d'avoir
remporté la victoire de Mylae contre les

Carthaginois en 260 avant J.-C., on lui
a accordé le droit d'avoir en permanence
une escorte composée d'un porteur de
torche et d'un flûteur (joueur de flûte).
11. De Gadès, nom romain de Cadix,
en Espagne.

– Je me sens en veine de faire des citations latines comme un feuilleton des *Débats*[12] ; il me revient des strophes d'ode, ajouta Max.

50 – Garde-les pour toi, s'écrièrent Octavien et Fabio, justement alarmés, rien n'est indigeste comme le latin à table. »

La conversation entre jeunes gens qui, cigare à la bouche, le coude sur la table, regardent un certain nombre de flacons vidés, surtout lorsque le vin est capiteux[13], ne tarde pas à

55 tourner sur les femmes. Chacun exposa son système, dont voici à peu près le résumé.

Fabio ne faisait cas que de la beauté et de la jeunesse. Voluptueux et positif, il ne se payait pas d'illusions et n'avait en amour aucun préjugé. Une paysanne lui plaisait autant qu'une

60 duchesse, pourvu qu'elle fût belle ; le corps le touchait plus que la robe ; il riait beaucoup de certains de ses amis amoureux de quelques mètres de soie et de dentelles, et disait qu'il serait plus logique d'être épris d'un étalage de marchand de nouveautés[14]. Ces opinions, fort raisonnables au fond, et qu'il

65 ne cachait pas, le faisaient passer pour un homme excentrique.

Max, moins artiste que Fabio, n'aimait, lui, que les entreprises difficiles, que les intrigues compliquées ; il cherchait des résistances à vaincre, des vertus à séduire, et conduisait l'amour comme une partie d'échecs, avec des coups médités

70 longtemps, des effets suspendus, des surprises et des stratagèmes dignes de Polybe[15]. Dans un salon, la femme qui paraissait avoir le moins de sympathie à son endroit, était celle qu'il choisissait pour but de ses attaques ; la faire passer de l'aversion à l'amour par des transitions habiles, était pour lui un

75 plaisir délicieux ; s'imposer aux âmes qui le repoussaient, mater[16] les volontés rebelles à son ascendant, lui semblait le

---

12. Journal du XIXᵉ siècle.
13. Qui monte à la tête.
14. Articles de mode.

15. Historien grec du IIᵉ siècle avant J.-C., auteur d'un traité de tactique militaire.
16. Dompter.

plus doux des triomphes. Comme certains chasseurs qui courent les champs, les bois et les plaines par la pluie, le soleil et la neige, avec des fatigues excessives et une ardeur que rien
80 ne rebute, pour un maigre gibier que les trois quarts du temps ils dédaignent de manger, Max, la proie atteinte, ne s'en souciait plus, et se remettait en quête presque aussitôt.

Pour Octavien, il avouait que la réalité ne le séduisait guère, non qu'il fît des rêves de collégien tout pétris de lis et de roses
85 comme un madrigal de Demoustier[17], mais il y avait autour de toute beauté trop de détails prosaïques et rebutants ; trop de pères radoteurs et décorés ; de mères coquettes, portant des fleurs naturelles dans de faux cheveux ; de cousins rougeauds et méditant des déclarations ; de tantes ridicules,
90 amoureuses de petits chiens. Une gravure à l'aquatinte[18], d'après Horace Vernet ou Delaroche[19], accrochée dans la chambre d'une femme, suffisait pour arrêter chez lui une passion naissante. Plus poétique encore qu'amoureux, il demandait une terrasse de l'Isola-Bella, sur le lac Majeur[20],
95 par un beau clair de lune, pour encadrer un rendez-vous. Il eût voulu enlever son amour du milieu de la vie commune et en transporter la scène dans les étoiles. Aussi s'était-il épris tour à tour d'une passion impossible et folle pour tous les grands types féminins conservés par l'art ou l'histoire. Comme
100 Faust, il avait aimé Hélène[21], et il aurait voulu que les ondulations des siècles apportassent jusqu'à lui une de ces sublimes personnifications des désirs et des rêves humains, dont la forme, invisible pour les yeux vulgaires, subsiste toujours dans l'espace et le temps. Il s'était composé un sérail idéal avec
105 Sémiramis, Aspasie, Cléopâtre, Diane de Poitiers, Jeanne

---

17. Poète de la fin du XVIIIᵉ siècle qui écrivait des madrigaux ou poésies galantes.
18. Eau-forte, acide dont se servent les graveurs.
19. Peintres du XIXᵉ siècle.

20. Lac en Italie du Nord.
21. Allusion au *Second Faust* de Goethe, poète allemand. Dans cette œuvre, Faust est l'époux d'Hélène de Troie.

d'Aragon[22]. Quelquefois aussi il aimait des statues, et un jour,
en passant au Musée[23] devant la Vénus de Milo[24], il s'était
écrié : « Oh ! qui te rendra les bras pour m'écraser contre ton
sein de marbre ! » À Rome, la vue d'une épaisse chevelure
110 nattée exhumée d'un tombeau antique l'avait jeté dans un
bizarre délire ; il avait essayé, au moyen de deux ou trois de
ces cheveux obtenus d'un gardien séduit à prix d'or, et remis
à une somnambule d'une grande puissance, d'évoquer l'ombre
et la forme de cette morte ; mais le fluide conducteur s'était
115 évaporé après tant d'années, et l'apparition n'avait pu sortir
de la nuit éternelle.

Comme Fabio l'avait deviné devant la vitrine des Studii,
l'empreinte recueillie dans la cave de la villa d'Arrius
Diomèdes excitait chez Octavien des élans insensés vers un
120 idéal rétrospectif ; il tentait de sortir du temps et de la vie et
de transposer son âme au siècle de Titus[25].

Max et Fabio se retirèrent dans leur chambre, et, la tête un
peu alourdie par les classiques fumées du Falerne, ne tardè-
rent pas à s'endormir. Octavien, qui avait souvent laissé son
125 verre plein devant lui, ne voulant pas troubler par une ivresse
grossière l'ivresse poétique qui bouillonnait dans son cerveau,
sentit à l'agitation de ses nerfs que le sommeil ne lui viendrait
pas, et sortit de l'osteria à pas lents pour rafraîchir son front
et calmer sa pensée à l'air de la nuit.

130 Ses pieds, sans qu'il en eût conscience, le portèrent à l'entrée par laquelle on pénètre dans la ville morte, il déplaça la
barre de bois qui la ferme et s'engagea au hasard dans les
décombres.

---

22. Le narrateur cite par ordre chronologique des femmes célèbres pour leur
beauté : Sémiramis, reine légendaire
d'Assyrie, Aspasie, compagne de Périclès
(ve siècle avant J.-C.), Cléopâtre, reine
d'Égypte (Ier siècle avant J.-C.), Diane
de Poitiers, maîtresse de François Ier

(XVIe siècle), Jeanne d'Aragon, princesse
sicilienne (XVIe siècle).
23. Musée du Louvre.
24. Célèbre statue sans bras, trouvée
dans l'Île de Milo, en Grèce.
25. Empereur romain du Ier siècle
après J.-C.

Repérer et analyser

L'action, le temps

1 **a.** Dans quel lieu les personnages arrivent-ils ?

b. Dans quel état d'esprit sont-ils respectivement ? Appuyez-vous sur la fin de l'extrait précédent.

2 Relevez les indications temporelles. Quel est le moment de la journée ? Combien de temps s'est écoulé depuis le début de l'histoire ?

Le mode de narration

Le rythme et les paroles rapportées

3 Délimitez les lignes qui constituent la scène de l'osteria.

a. Les passages dialogués sont-ils nombreux dans cette scène ?

b. Le narrateur résume les paroles des personnages. Relevez le passage dans lequel il le dit. Pour quelle raison selon vous ne leur donne-t-il pas directement la parole ?

c. Le narrateur suggère-t-il par ces choix narratifs la durée du dîner ? Justifiez votre réponse.

4 Quel est le principal sujet de la conversation ? En quoi est-il annoncé par la première réplique de Fabio (l. 7 à 11) ?

Les personnages

5 Quelle conception chacun des personnages a-t-il de l'amour et des femmes ? Appuyez-vous précisément sur le texte.

6 **a.** Fabio et Max utilisent des exemples et des comparaisons pour illustrer leurs propos. Lesquels ?

b. En quoi l'idéal féminin d'Octavien est-il complètement différent de celui de Fabio et de Max ?

La mise en place du fantastique : des indices pour la suite

Le motif du vin

7 Relevez toutes les allusions à la consommation de vin faite par les trois convives. Dans quel état les personnages se trouvent-ils ?

Octavien a-t-il autant bu que les deux autres (l. 122 à 129) ? Quelle peut être leur perception du monde après ce dîner ?

Le mélange des époques

8 « tu es donc indigne de vivre dans ce voisinage antique ? » (l. 23-24) : montrez, en citant le texte, que dans cette scène encore l'Antiquité est omniprésente et se mêle constamment à la vie moderne. Appuyez-vous pour répondre sur les paroles de Max à propos du vin de Falerne, sur l'hypothèse formulée à propos du joueur de flûte (l. 36 à 42) et sur les propos des personnages dans les lignes 43 à 51. À quoi ces mélanges temporels peuvent-ils préparer le lecteur ?

Le personnage d'Octavien

9 **a.** Quel type de femmes Octavien aime-t-il ? Quelle suite cela peut-il annoncer ?
b. Quel rapport établissez-vous entre la chevelure nattée et l'empreinte trouvée dans la maison d'Arrius Diomèdes ?
10 **a.** Où Octavien se rend-il après le dîner ?
b. Quelles hypothèses de lecture pouvez-vous formuler sur la suite de l'histoire et notamment sur les événements que va vivre Octavien ?

Écrire

Écrire au style direct

11 Écrivez au style direct les propos d'un des trois amis (l. 57 à 116). Vous récrirez le texte en conservant son esprit mais en modifiant sa forme : vous introduirez notamment des marques d'oralité, des formules d'adresse aux destinataires. Vous utiliserez un niveau de langage conforme à celui des personnages.

Lire

La Chevelure, **Guy de Maupassant**

12 Octavien n'a pas réussi à faire revivre la femme dont on avait retrouvé la chevelure dans un tombeau romain. Guy de Maupassant raconte une aventure presque semblable dans une nouvelle intitulée

La Chevelure. Le héros réussit à redonner vie à une morte, dont il possède la natte, et devient fou. Lisez cette nouvelle et comparez les attitudes des héros.

Étudier une image

Étudier un dessin humoristique

13 La Vénus de Milo fascine Octavien qui souhaite que ses bras lui soient rendus. Analysez ce dessin de Philippe Geluk. Qu'est-ce que le dessinateur a imaginé ? Quel est le rôle du titre ?

Extrait 5

« Mais à quelle époque de la vie de Pompéi était-il transporté ? »

La lune illuminait de sa lueur blanche les maisons pâles, divisant les rues en deux tranches de lumière argentée et d'ombre bleuâtre. Ce jour nocturne, avec ses teintes ména-gères[1], dissimulait la dégradation des édifices. L'on ne remar-
5 quait pas, comme à la clarté crue du soleil, les colonnes tronquées, les façades sillonnées de lézardes, les toits effon-drés par l'éruption ; les parties absentes se complétaient par la demi-teinte, et un rayon brusque, comme une touche de sentiment dans l'esquisse d'un tableau, indiquait tout un
10 ensemble écroulé. Les génies taciturnes de la nuit semblaient avoir réparé la cité fossile pour quelque représentation d'une vie fantastique.

Quelquefois même Octavien crut voir se glisser de vagues formes humaines dans l'ombre ; mais elles s'évanouissaient
15 dès qu'elles atteignaient la portion éclairée. De sourds chucho-tements, une rumeur indéfinie voltigeaient dans le silence. Notre promeneur les attribua d'abord à quelque papillonne-ment de ses yeux, à quelque bourdonnement de ses oreilles, – ce pouvait être aussi un jeu d'optique, un soupir de la brise
20 marine, ou la fuite à travers les orties d'un lézard ou d'une couleuvre, car tout vit dans la nature, même la mort, tout bruit, même le silence. Cependant il éprouvait une espèce d'angoisse involontaire, un léger frisson, qui pouvait être causé par l'air froid de la nuit, et faisait frémir sa peau. Il retourna

| **1.** Bien placées.

25 deux ou trois fois la tête ; il ne se sentait plus seul comme tout
à l'heure dans la ville déserte. Ses camarades avaient-ils eu la
même idée que lui, et le cherchaient-ils à travers ces ruines ?
Ces formes entrevues, ces bruits indistincts de pas, était-ce
Max et Fabio marchant et causant, et disparus à l'angle d'un
30 carrefour ? Cette explication toute naturelle, Octavien compre-
nait à son trouble qu'elle n'était pas vraie, et les raisonne-
ments qu'il faisait là-dessus à part lui ne le convainquaient
pas. La solitude et l'ombre s'étaient peuplées d'êtres invisibles
qu'il dérangeait ; il tombait au milieu d'un mystère², et l'on
35 semblait attendre qu'il fût parti pour commencer. Telles étaient
les idées extravagantes qui lui traversaient la cervelle et qui
prenaient beaucoup de vraisemblance de l'heure, du lieu et
de mille détails alarmants que comprendront ceux qui se sont
trouvés de nuit dans quelque vaste ruine.

40   En passant devant une maison qu'il avait remarquée pendant le jour et sur laquelle la lune donnait en plein, il vit, dans
un état d'intégrité³ parfaite, un portique dont il avait cherché
à rétablir l'ordonnance : quatre colonnes d'ordre dorique⁴
cannelées jusqu'à mi-hauteur, et le fût enveloppé comme d'une
45 draperie pourpre d'une teinte de minium, soutenaient une
cimaise⁵ coloriée d'ornements polychromes⁶ que le décorateur semblait avoir achevée hier ; sur la paroi latérale de la
porte un molosse de Laconie⁷ exécuté à l'encaustique⁸ et
accompagné de l'inscription sacramentelle : *Cave canem*⁹,
50 aboyait à la lune et aux visiteurs avec une fureur peinte. Sur
le seuil de mosaïque le mot *Ave*¹⁰, en lettres osques¹¹ et latines,
saluait les hôtes de ses syllabes amicales. Les murs extérieurs,

---

2. Cérémonie religieuse secrète et nocturne.
3. Intégralité.
4. Ordre architectural grec.
5. Moulure d'une corniche.
6. De différentes couleurs.
7. Région autour de Sparte en Grèce, célèbre pour ses chiens féroces.

8. Procédé de peinture où les couleurs sont délayées dans la cire chaude.
9. « Prends garde au chien ».
10. « Salut ».
11. Langue parlée par un peuple ancien installé dans la région de Pompéi avant les Romains.

teints d'ocre et de rubrique[12] n'avaient pas une crevasse. La
maison s'était exhaussée d'un étage, et le toit de tuiles, dentelé
55 d'un acrotère[13] de bronze, projetait son profil intact sur le
bleu léger du ciel où pâlissaient quelques étoiles.

Cette restauration étrange, faite de l'après-midi au soir par
un architecte inconnu, tourmentait beaucoup Octavien, sûr
d'avoir vu cette maison le jour même dans un fâcheux état de
60 ruine. Le mystérieux reconstructeur avait travaillé bien vite,
car les habitations voisines avaient le même aspect récent et
neuf; tous les piliers étaient coiffés de leurs chapiteaux; pas
une pierre, pas une brique, pas une pellicule de stuc, pas une
écaille de peinture ne manquaient aux parois luisantes des
65 façades, et par l'interstice des péristyles on entrevoyait, autour
du bassin de marbre du *cavædium*[14], des lauriers roses et
blancs, des myrtes et des grenadiers. Tous les historiens
s'étaient trompés: l'éruption n'avait pas eu lieu, ou bien l'aiguille du temps avait reculé de vingt heures séculaires[15] sur le
70 cadran de l'éternité.

Octavien, surpris au dernier point, se demanda s'il dormait
tout debout et marchait dans un rêve. Il s'interrogea sérieusement pour savoir si la folie ne faisait pas danser devant lui
ces hallucinations; mais il fut obligé de reconnaître qu'il n'était
75 ni endormi ni fou.

Un changement singulier avait eu lieu dans l'atmosphère;
de vagues teintes roses se mêlaient, par dégradations violettes,
aux lueurs azurées de la lune; le ciel s'éclaircissait sur les
bords; on eût dit que le jour allait paraître. Octavien tira sa
80 montre; elle marquait minuit. Craignant qu'elle ne fût arrêtée,
il poussa le ressort de la répétition; la sonnerie tinta douze
fois; il était bien minuit, et cependant la clarté allait toujours

---

12. Voir note 20, page 94.
13. Décoration placée au bord des toits
et destinée à soutenir des statues.

14. Colonnade entourant une cour
intérieure.
15. Vingt siècles.

augmentant, la lune se fondait dans l'azur de plus en plus
lumineux ; le soleil se levait.

85 Alors Octavien, en qui toutes les idées de temps se brouil-
laient, put se convaincre qu'il se promenait non dans une
Pompéi morte, froid cadavre de ville qu'on a tiré à demi de
son linceul, mais dans une Pompéi vivante, jeune, intacte, sur
laquelle n'avaient pas coulé les torrents de boue brûlante du
90 Vésuve.

Un prodige inconcevable le reportait, lui, Français du XIXe
siècle, au temps de Titus[16] non en esprit, mais en réalité, ou
faisait revenir à lui, du fond du passé, une ville détruite avec
ses habitants disparus ; car un homme vêtu à l'antique venait
95 de sortir d'une maison voisine.

Cet homme portait les cheveux courts et la barbe rasée, une
tunique de couleur brune et un manteau grisâtre, dont les
bouts étaient retroussés de manière à ne pas gêner sa marche ;
il allait d'un pas rapide, presque cursif, et passa à côté
100 d'Octavien sans le voir. Un panier de sparterie[17] pendait à son
bras, et il se dirigeait vers le *Forum Nundinarium* ; c'était un
esclave, un Davus[18] quelconque allant au marché ; il n'y avait
pas à s'y tromper.

Des bruits de roues se firent entendre, et un char antique,
105 traîné par des bœufs blancs et chargé de légumes, s'engagea
dans la rue. À côté de l'attelage marchait un bouvier aux
jambes nues et brûlées par le soleil, aux pieds chaussés de
sandales, et vêtu d'une espèce de chemise de toile bouffant à
la ceinture ; un chapeau de paille conique, rejeté derrière le
110 dos et retenu au col par la mentonnière, laissait voir sa tête
d'un type inconnu aujourd'hui, son front bas traversé de dures
nodosités[19], ses cheveux crépus et noirs, son nez droit,

---

16. Empereur romain qui régna de 79 à 81
après J.-C.
17. Tressé en fibres végétales.

18. Nom donné aux esclaves dans
les comédies latines.
19. Bosses.

ses yeux tranquilles comme ceux de ses bœufs, et son cou
d'Hercule campagnard. Il touchait gravement ses bêtes de
115 l'aiguillon, avec une pose de statue à faire tomber Ingres[20]
en extase.

Le bouvier aperçut Octavien et parut surpris, mais il
continua sa route ; une fois il retourna la tête, ne trouvant pas
sans doute d'explication à l'aspect de ce personnage étrange
120 pour lui, mais laissant, dans sa placide stupidité rustique, le
mot de l'énigme à de plus habiles.

Des paysans campaniens[21] parurent aussi, poussant devant
eux des ânes chargés d'outres de vin, et faisant tinter des
sonnettes d'airain ; leur physionomie différait de celle des
125 paysans d'aujourd'hui comme une médaille diffère d'un sou.

La vie se peuplait graduellement comme un de ces tableaux
de diorama[22] d'abord déserts, et qu'un changement d'éclairage anime de personnages invisibles jusque-là.

Les sentiments qu'éprouvait Octavien avaient changé de
130 nature. Tout à l'heure, dans l'ombre trompeuse de la nuit, il
était en proie à ce malaise dont les braves ne se défendent pas,
au milieu de circonstances inquiétantes et fantastiques que la
raison ne peut expliquer. Sa vague terreur s'était changée en
stupéfaction profonde ; il ne pouvait douter, à la netteté de
135 leurs perceptions, du témoignage de ses sens, et cependant ce
qu'il voyait était parfaitement incroyable.

Mal convaincu encore, il cherchait par la constatation de
petits détails réels à se prouver qu'il n'était pas le jouet d'une
hallucination. Ce n'étaient pas des fantômes qui défilaient
140 sous ses yeux, car la vive lumière du soleil les illuminait avec
une réalité irrécusable[23] et leurs ombres allongées par le matin
se projetaient sur les trottoirs et les murailles.

---

20. Peintre du XIXᵉ siècle.
21. De Campanie, nom donné à la région
de Pompéi.

22. Grande toile peinte, dont on éclaire
peu à peu les différentes parties.
23. Que l'on ne peut pas mettre en doute.

Ne comprenant rien à ce qui lui arrivait, Octavien, ravi au fond de voir un de ses rêves les plus chers accompli, ne résista
145 plus à son aventure, il se laissa faire à toutes ces merveilles, sans prétendre en rendre compte ; il se dit que puisqu'en vertu d'un pouvoir mystérieux il lui était donné de vivre quelques heures dans un siècle disparu, il ne perdrait pas son temps à chercher la solution d'un problème incompréhensible, et il
150 continua bravement sa route, en regardant à droite et à gauche ce spectacle si vieux et si nouveau pour lui. Mais à quelle époque de la vie de Pompéi était-il transporté ? Une inscription d'édilité[24], gravée sur une muraille, lui apprit, par le nom des personnages publics, qu'on était au commencement du
155 règne de Titus, – soit en l'an 79 de notre ère. Une idée subite traversa l'âme d'Octavien ; la femme dont il avait admiré l'empreinte au musée de Naples devait être vivante, puisque l'éruption du Vésuve dans laquelle elle avait péri eut lieu le 24 août de cette même année ; il pouvait donc la retrouver, la
160 voir, lui parler… Le désir fou qu'il avait ressenti à l'aspect de cette cendre moulée sur des contours divins allait peut-être se satisfaire, car rien ne devait être impossible à un amour qui avait eu la force de faire reculer le temps, et passer deux fois la même heure dans le sablier de l'éternité.

165 Pendant qu'Octavien se livrait à ces réflexions, de belles jeunes filles se rendaient aux fontaines, soutenant du bout de leurs doigts blancs des urnes[25] en équilibre sur leur tête ; des patriciens[26] en toges blanches bordées de bandes de pourpre, suivis de leur cortège de clients, se dirigeaient vers le forum.
170 Les acheteurs se pressaient autour des boutiques, toutes désignées par des enseignes sculptées et peintes, et rappelant par leur petitesse et leur forme les boutiques moresques d'Alger ;

---

24. Affiche municipale.
25. Vases.

26. Nobles, reconnaissables à la couleur de leur toge. Ils sont entourés de leurs clients, c'est-à-dire de personnes qu'ils protègent et qu'ils aident.

Un rêve dans les ruines de Pompéi (1866), peinture de Paul de Curzon (1820-1895).

au-dessus de la plupart de ces échoppes, un glorieux phallus
de terre cuite colorié et l'inscription *hic habitat felicitas*[27],
75 témoignait de précautions superstitieuses contre le mauvais
œil; Octavien remarqua même une boutique d'amulettes dont
l'étalage était chargé de cornes, de branches de corail bifur-
quées, et de petits Priapes[28] en or, comme on en trouve encore
à Naples aujourd'hui, pour se préserver de la *jettatura*[29], et il
80 se dit qu'une superstition durait plus qu'une religion.

27. « Ici habite le bonheur ».
28. Dieu de la fécondité, réputé pour protéger du mauvais sort.
29. Mauvais œil.

Repérer et analyser

Les circonstances

1 Relisez les dernières lignes (l. 122 à 133) de l'extrait précédent. Rappelez dans quel état se trouve Octavien. Est-il totalement lucide ? Appuyez-vous sur une expression précise du dernier paragraphe.

Le phénomène fantastique

Dans un récit fantastique, le personnage est confronté à un événement étrange et incompréhensible. Ce personnage, comme le lecteur, est en proie à l'hésitation quant à la nature de ces événements. Le principal ressort du fantastique repose sur le principe d'hésitation, c'est-à-dire sur une incapacité de trancher entre une explication naturelle et une interprétation surnaturelle des faits.

Le cadre nocturne

Le phénomène fantastique se produit souvent quand le personnage est seul, la nuit.

2 **a.** Relevez les notations d'éclairage dans le premier paragraphe. **b.** Quelle est la principale source de lumière ? Quelles sont les différentes couleurs évoquées ? Caractérisez l'atmosphère créée.

3 L'oxymore

Un oxymore est l'alliance de deux mots contradictoires (exemple : une douce violence). Cette figure contribue à créer un effet saisissant.

a. Relevez l'oxymore au début du premier paragraphe. En quoi rend-il compte de la clarté qui règne cette nuit-là ?
b. En quoi cette clarté permet-elle d'installer le phénomène surnaturel tout en ménageant le doute ?

L'irruption du surnaturel

4 En quoi le phénomène surnaturel consiste-t-il ? Pour répondre, dites :
– quels changements se sont opérés dans la cité (appuyez-vous sur les champs lexicaux opposés des lignes 1 à 12 et 57 à 67) ;
– quelle heure marque la montre d'Octavien ; cette heure correspond-elle à l'heure solaire ?

– qui Octavien rencontre ; précisez l'époque à laquelle vivent ces personnes et leur habillement ;

– de quelles scènes de la vie quotidienne il est le témoin.

Le lexique du regard et de l'ouïe

Dans le récit fantastique, la présence fréquente du lexique de la vision et de l'ouïe donne à l'évènement fantastique une existence dans l'esprit du lecteur, puisqu'il est visible et perceptible.

5 **a.** Que voit distinctement Octavien dans les lignes 40 à 56 ?
b. Qu'entend-il ligne 104 ?

6 **a.** Différents personnages regardent Octavien ou passent à côté de lui sans le voir. Relevez pour chaque personnage les jeux de regard en direction d'Octavien.
b. Quels sentiments éprouvent-ils à sa vue ? Montrez que le sentiment de l'étrange les affecte aussi. Quel est l'effet produit ?

Les réactions du personnage

L'hésitation et l'incompréhension

• Face à l'événement étrange, le personnage éprouve un certain malaise, il se pose des questions, hésite, doute. Il tente de trouver une explication naturelle et finit par admettre que l'événement appartient au domaine du surnaturel.

• Les modalisateurs : face au phénomène fantastique, le héros doute de lui-même, ce qui explique que le récit fantastique comporte de nombreux termes modalisateurs destinés à exprimer la distance et le doute tels que « sembler », « croire », « devoir »…

7 **a.** Relevez lignes 13 à 30 deux modalisateurs qui montrent qu'au début de l'épisode le personnage n'est pas sûr de ce qu'il voit.
b. Relevez dans la suite du texte et jusqu'à la ligne 142 les expressions, les types de phrases, les questionnements qui montrent qu'il est en proie au doute.

8 « Un prodige inconcevable » (l. 91), « une réalité irrécusable » (l. 141), « un problème incompréhensible » (l. 149) : quel est le sens de ces trois adjectifs ? Que signifie leur préfixe ? À quels événements font-ils référence ?

Les tentatives d'explications rationnelles

Pour faire accepter l'anormal, le héros du récit fantastique propose ou suggère des explications.

9   Dans le second paragraphe, Octavien se croit entouré de « vagues formes humaines ». Relevez les explications naturelles qu'il trouve à ce phénomène. Croit-il à ces explications ? Justifiez votre réponse.

10   Relevez les passages dans lesquels il tente de se persuader qu'il n'est ni endormi, ni fou, ni la victime d'une hallucination. Réussit-il à s'en convaincre ?

De l'inquiétude à l'acceptation

11   **a.** À quel moment Octavien a-t-il peur ? Citez le texte.
b. À partir de quel moment (citez le passage) finit-il par se laisser aller à l'acceptation de l'étrange ? Pour quelles raisons ?

La visée et les hypothèses de lecture

12   **a.** Quel est le motif qui est repris à la fin de l'extrait et qui fait le lien avec le début de la nouvelle ?
b. À quelles réflexions Octavien se livre-t-il ? Quel rêve insensé fait-il ?

13   Quelle est la réaction du lecteur face à ces événements ? Quelle explication naturelle peut-il leur donner ? Et quelle explication surnaturelle ?

14   À quelle suite le lecteur peut-il s'attendre, compte tenu des éléments nouveaux mis en place dans cet extrait ?

Écrire

15   Imaginez qu'Octavien ait visité un autre lieu, site ou musée (château de Versailles par exemple) et qu'il ait été transporté dans une autre époque que celle de la Pompéi antique. Quelles découvertes aurait-il pu faire ? Notez ses réactions ainsi que celles des personnages qu'il rencontre.

Étudier une image

Une reconstitution (voir p. 128-129)

16 En 1903, le peintre Jules-Léon Chifflot a fait le même travail de « l'architecte inconnu » dont parle Octavien (l. 58). Il a commencé par peindre l'état de la façade de la maison du Centenaire à Pompéi telle qu'il l'avait vue. À partir de cette planche, il a imaginé la même maison au Ier siècle après J.-C., avant l'éruption.
Examinez et comparez attentivement ces deux dessins, p. 128-129. Sur quoi s'appuie l'artiste pour « reconstruire » la maison ? Qu'a-t-il ajouté à la maison délabrée ?

Se documenter

Définir le fantastique

« Le fantastique, c'est l'hésitation éprouvée par un être qui ne connaît que les lois naturelles, face à un événement en apparence surnaturel. [...] Celui-ci doit opter pour l'une des deux solutions possibles : ou bien il s'agit d'une illusion des sens, d'un produit de l'imagination et les lois du monde restent alors ce qu'elles sont ; ou bien l'événement a véritablement eu lieu, il est partie intégrante de la réalité, mais alors cette réalité est régie par des lois inconnues de nous. »

Tzvetan Todorov, *Introduction à la littérature fantastique*,
© Éditions du Seuil, 1970.

17 En vous appuyant sur votre lecture du texte, montrez qu'Octavien hésite entre le rationnel et le surnaturel pendant un grand moment.

Maison du Centenaire, coupe sur l'exèdre (état actuel).

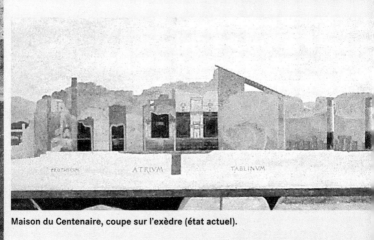

Maison du Centenaire, restauration de la façade sur le Decumanus Major.

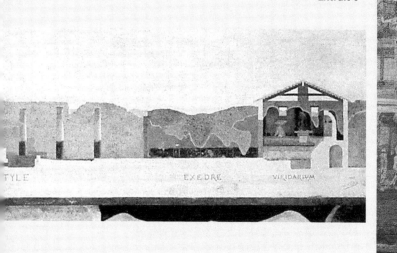

TYLE EXEDRE VIRIDARIVM

Extrait 6
« Par quel prodige
la voyait-il vivante ? »

En suivant le trottoir qui borde chaque rue de Pompéi, et
enlève ainsi aux Anglais la confortabilité de cette invention,
Octavien se trouva face à face avec un beau jeune homme, de
son âge à peu près, vêtu d'une tunique couleur de safran, et
5 drapé d'un manteau de fine laine blanche, souple comme du
cachemire. La vue d'Octavien, coiffé de l'affreux chapeau
moderne, sanglé dans une mesquine redingote noire, les
jambes emprisonnées dans un pantalon, les pieds pincés par
des bottes luisantes, parut surprendre le jeune Pompéien,
10 comme nous étonnerait, sur le boulevard de Gand un Ioway[1]
ou un Botocudo[2] avec ses plumes, ses colliers de griffes d'ours
et ses tatouages baroques. Cependant, comme c'était un jeune
homme bien élevé, il n'éclata pas de rire au nez d'Octavien,
et prenant en pitié ce pauvre barbare[3] égaré dans cette ville
15 gréco-romaine, il lui dit d'une voix accentuée et douce :

« *Advena, salve*[4]. »

Rien n'était plus naturel qu'un habitant de Pompéi, sous
le règne du divin empereur Titus, très puissant et très auguste,
s'exprimât en latin, et pourtant Octavien tressaillit en enten-
20 dant cette langue morte dans une bouche vivante. C'est alors
qu'il se félicita d'avoir été fort en thème, et remporté des prix
au concours général. Le latin enseigné par l'Université lui
servit en cette occasion unique, et rappelant en lui ses souvenirs de classe, il répondit au salut du Pompéien en style de

---

1. Indien de l'Iowa (Amérique du Nord).
2. Indien du Brésil.
3. Signifie l'étranger, dans l'Antiquité,
sans nuance péjorative.
4. « Bienvenue, salut ».

25 *De viris illustribus* et de *Selectae profanis*[5], d'une façon suffi-
samment intelligible, mais avec un accent parisien qui fit
sourire le jeune homme.

« Il te sera peut être plus facile de parler grec, dit le
Pompéien ; je sais aussi cette langue, car j'ai fait mes études à
30 Athènes.

– Je sais encore moins de grec que de latin, répondit
Octavien ; je suis du pays des Gaulois, de Paris, de Lutèce.

– Je connais ce pays. Mon aïeul a fait la guerre dans les
Gaules sous le grand Jules César. Mais quel étrange costume
35 portes-tu ? Les Gaulois que j'ai vus à Rome n'étaient pas
habillés ainsi. »

Octavien entreprit de faire comprendre au jeune Pompéien
que vingt siècles s'étaient écoulés depuis la conquête de la
Gaule par Jules César, et que la mode avait pu changer, mais
40 il y perdit son latin, et à vrai dire ce n'était pas grand-chose.

« Je me nomme Rufus Holconius, et ma maison est la
tienne, dit le jeune homme ; à moins que tu ne préfères la
liberté de la taverne : on est bien à l'auberge d'Albinus, près
de la porte du faubourg d'Augustus Felix, et à l'hôtellerie de
45 Sarinus, fils de Publius, près de la deuxième tour ; mais si tu
veux, je te servirai de guide dans cette ville inconnue pour
toi ; tu me plais, jeune barbare, quoique tu aies essayé de te
jouer de ma crédulité en prétendant que l'empereur Titus,
qui règne aujourd'hui, était mort depuis deux mille ans, et
50 que le Nazaréen[6] dont les infâmes sectateurs[7] enduits de poix,
ont éclairé les jardins de Néron[8], trône seul en maître dans
le ciel désert, d'où les grands dieux sont tombés. Par Pollux[9] !
ajouta-t-il en jetant les yeux sur une inscription rouge tracée

---

5. Manuel de latin, utilisé dans les
classes au XIXe siècle.
6. Surnom donné à Jésus.
7. En 79 après J.-C., le christianisme est
considéré comme une secte.

8. En 64, Néron avait accusé les chrétiens
d'avoir incendié Rome. Il les avait
condamnés au bûcher.
9. Fils de Zeus.

à l'angle d'une rue, tu arrives à propos, l'on donne la *Casina*
55 de Plaute[10], récemment remise au théâtre ; c'est une curieuse
et bouffonne comédie qui t'amusera, n'en comprendrais-tu
que la pantomime. Suis-moi, c'est bientôt l'heure ; je te ferai
placer au banc des hôtes et des étrangers. »

Et Rufus Holconius se dirigea du côté du petit théâtre
60 comique que les trois amis avaient visité dans la journée.

Le Français et le citoyen de Pompéi prirent les rues de la
Fontaine d'Abondance, des Théâtres, longèrent le collège[11] et
le temple d'Isis, l'atelier du statuaire, et entrèrent dans l'Odéon
ou théâtre comique par un vomitoire[12] latéral. Grâce à la
65 recommandation d'Holconius, Octavien fut placé près du
proscenium, un endroit qui répondrait à nos baignoires[13]
d'avant-scène. Tous les regards se tournèrent aussitôt vers lui
avec une curiosité bienveillante et un léger susurrement[14]
courut dans l'amphithéâtre.

Musiciens ambulants, **mosaïque de Pompéi.**

10. Comédie de l'auteur latin Plaute, qui
vécut au IIe siècle avant J.-C. La pièce a
été écrite plus de deux cent cinquante
ans avant la rencontre d'Octavien avec
Rufus Holconius.

11. Salle de réunion.
12. Couloir d'accès au théâtre.
13. Loges placées tout près de la scène.
14. Murmure.

70 La pièce n'était pas encore commencée ; Octavien en profita
pour regarder la salle. Les gradins demi-circulaires, terminés
de chaque côté par une magnifique patte de lion sculptée en
lave du Vésuve, partaient en s'élargissant d'un espace vide
correspondant à notre parterre, mais beaucoup plus restreint,
75 et pavé d'une mosaïque de marbres grecs ; un gradin plus large
formait, de distance en distance, une zone distinctive, et quatre
escaliers correspondant aux vomitoires et montant de la base
au sommet de l'amphithéâtre le divisaient en cinq coins plus
larges du haut que du bas. Les spectateurs, munis de leurs
80 billets, consistant en petites lames d'ivoire où étaient désignés, par leurs numéros d'ordre, la travée, le coin et le gradin,
avec le titre de la pièce représentée et le nom de son auteur,
arrivaient aisément à leurs places. Les magistrats, les nobles,
les hommes mariés, les jeunes gens, les soldats, dont on voyait
85 luire les casques de bronze, occupaient des rangs séparés.
C'était un spectacle admirable que ces belles toges et ces larges
manteaux blancs bien drapés, s'étalant sur les premiers gradins
et contrastant avec les parures variées des femmes, placées
au-dessus, et les capes grises des gens du peuple, relégués aux
90 bancs supérieurs, près des colonnes qui supportent le toit, et
qui laissaient apercevoir, par leurs interstices, un ciel d'un
bleu intense comme le champ d'azur d'une parlathénée[15] ; une
fine pluie d'eau, aromatisée de safran, tombait des frises en
gouttelettes imperceptibles, et parfumait l'air qu'elle rafraî-
95 chissait. Octavien pensa aux émanations fétides qui vicient
l'atmosphère[16] de nos théâtres, si incommodes qu'on peut les
considérer comme des lieux de torture, et il trouva que la civi-
lisation n'avait pas beaucoup marché.

Le rideau, soutenu par une poutre transversale, s'abîma[17]
100 dans les profondeurs de l'orchestre, les musiciens s'installè-

---

15. Voile brodé par les Athéniennes
en l'honneur des fêtes d'Athéna.

16. Odeurs infectes qui rendent l'air irrespirable.
17. Tomba.

rent dans leur tribune, et le Prologue[18] parut vêtu grotesque-
ment et la tête coiffée d'un masque difforme, adapté comme
un casque.

Le Prologue, après avoir salué l'assistance et demandé les
105 applaudissements, commença une argumentation bouffonne.
« Les vieilles pièces, disait-il, étaient comme le vin qui gagne
avec les années, et la *Casina*, chère aux vieillards, ne devait
pas moins l'être aux jeunes gens ; tous pouvaient y prendre
plaisir : les uns parce qu'ils la connaissaient, les autres parce
110 qu'ils ne la connaissaient pas. La pièce avait été, du reste,
remise avec soin, et il fallait l'écouter l'âme libre de tout
souci, sans penser à ses dettes, ni à ses créanciers, car on n'arrête pas au théâtre, c'était un jour heureux, il faisait beau, et
les alcyons[19] planaient sur le forum. ». Puis il fit une analyse
115 de la comédie que les acteurs allaient représenter, avec un
détail[20] qui prouve que la surprise entrait pour peu de chose
dans le plaisir que les Anciens prenaient au théâtre ; il raconta
comment le vieillard Stalino, amoureux de sa belle esclave
Casina, veut la marier à son fermier Olympio, époux
120 complaisant qu'il remplacera dans la nuit des noces ; et
comment Lycostrata, la femme de Stalino, pour contrecarrer
la luxure de son vicieux mari, veut unir Casina à l'écuyer
Chalinus, dans l'idée de favoriser les amours de son fils ; enfin
la manière dont Stalino, mystifié, prend un jeune esclave
125 déguisé pour Casina, qui, reconnue libre et de naissance
ingénue[21] épouse le jeune maître, qu'elle aime et dont elle est
aimée.

Le jeune Français regardait distraitement les acteurs, avec
leurs masques aux bouches de bronze, s'évertuer sur la scène ;
130 les esclaves couraient çà et là pour simuler l'empressement ;
le vieillard hochait la tête et tendait ses mains tremblantes ;

---

18. Personnage qui présente la pièce.   20. Précision.
19. Oiseaux fabuleux qui annoncent le calme et la paix.   21. Sens latin de noble.

la matrone[22], le verbe haut[23], l'air revêche et dédaigneux, se carrait dans son importance et querellait son mari, au grand amusement de la salle. Tous ces personnages entraient et sortaient par trois portes pratiquées dans le mur du fond et communiquant au foyer des acteurs. La maison de Stalino occupait un coin du théâtre, et celle de son vieil ami Alcesimus lui faisait face. Ces décorations, quoique très bien peintes, étaient plutôt représentatives de l'idée d'un lieu que du lieu lui-même, comme les coulisses vagues du théâtre classique.

Quand la pompe nuptiale conduisant la fausse Casina[24] fit son entrée sur la scène, un immense éclat de rire, comme celui qu'Homère attribue aux dieux, circula sur tous les bancs de l'amphithéâtre, et des tonnerres d'applaudissements firent vibrer les échos de l'enceinte ; mais Octavien n'écoutait plus et ne regardait plus.

Dans la travée des femmes, il venait d'apercevoir une créature d'une beauté merveilleuse. À dater de ce moment, les charmants visages qui avaient attiré son œil s'éclipsèrent comme les étoiles devant Phœbé[25] ; tout s'évanouit, tout disparut comme dans un songe ; un brouillard estompa les gradins fourmillant de monde, et la voix criarde des acteurs semblait se perdre dans un éloignement infini.

Il avait reçu au cœur comme une commotion[26] électrique, et il lui semblait qu'il jaillissait des étincelles de sa poitrine lorsque le regard de cette femme se tournait vers lui.

Elle était brune et pâle ; ses cheveux ondés et crespelés[27], noirs comme ceux de la Nuit, se relevaient légèrement vers les tempes, à la mode grecque, et dans son visage d'un ton mat brillaient des yeux sombres et doux, chargés d'une indéfinissable expression de tristesse voluptueuse et d'ennui

---

22. Mère de famille.
23. Qui parle fort.
24. Cortège de mariage qui accompagne un esclave déguisé en Casina.

25. La Lune.
26. Décharge.
27. Ondulés et bouclés.

passionné ; sa bouche, dédaigneusement arquée à ses coins, protestait par l'ardeur vivace de sa pourpre enflammée contre la blancheur tranquille du masque ; son col présentait ces
165 belles lignes pures qu'on ne retrouve à présent que dans les statues. Ses bras étaient nus jusqu'à l'épaule, et de la pointe de ses seins orgueilleux, soulevant sa tunique d'un rose mauve, partaient deux plis qu'on aurait pu croire fouillés dans le marbre par Phidias ou Cléomène[28].

170   La vue de cette gorge d'un contour si correct, d'une coupe si pure, troubla magnétiquement Octavien ; il lui sembla que ces rondeurs s'adaptaient parfaitement à l'empreinte en creux du musée de Naples, qui l'avait jeté dans une si ardente rêverie, et une voix lui cria au fond du cœur que cette femme
175 était bien la femme étouffée par la cendre du Vésuve à la villa d'Arrius Diomèdes. Par quel prodige la voyait-il vivante, assistant à la représentation de la *Casina* de Plaute ? Il ne chercha pas à se l'expliquer ; d'ailleurs, comment était-il là lui-même ? Il accepta sa présence comme dans le rêve on admet l'inter-
180 vention de personnes mortes depuis longtemps et qui agissent pourtant avec les apparences de la vie ; d'ailleurs son émotion ne lui permettait aucun raisonnement. Pour lui, la roue du temps était sortie de son ornière, et son désir vainqueur choisissait sa place parmi les siècles écoulés ! Il se trouvait face à
185 face avec sa chimère, une des plus insaisissables, une chimère rétrospective. Sa vie se remplissait d'un seul coup.

    En regardant cette tête si calme et si passionnée, si froide et si ardente, si morte et si vivace, il comprit qu'il avait devant lui son premier et son dernier amour, sa coupe d'ivresse
190 suprême ; il sentit s'évanouir comme des ombres légères les souvenirs de toutes les femmes qu'il avait cru aimer, et son âme redevenir vierge de toute émotion antérieure. Le passé disparut.

| **28.** Sculpteurs grecs très célèbres.

Cependant la belle Pompéienne, le menton appuyé sur la
195 paume de la main, lançait sur Octavien, tout en ayant l'air de
s'occuper de la scène, le regard velouté de ses yeux nocturnes,
et ce regard lui arrivait lourd et brûlant comme un jet de
plomb fondu. Puis elle se pencha vers l'oreille d'une fille assise
à son côté.

200 La représentation s'acheva ; la foule s'écoula par les vomitoires. Octavien, dédaignant les bons offices de son guide
Holconius, s'élança par la première sortie qui s'offrit à ses
pas. À peine eut-il atteint la porte, qu'une main se posa sur
son bras, et qu'une voix féminine lui dit d'un ton bas, mais
205 de manière à ce qu'il ne perdit pas un mot :

« Je suis Tyché Novaleja, commise[29] aux plaisirs d'Arria
Marcella, fille d'Arrius Diomèdes. Ma maîtresse vous aime,
suivez-moi. »

Le petit théâtre de Pompéi, gravure de Henry Wilkins (1819).

| **29.** Affectée à.

Repérer et analyser

Le phénomène fantastique

Les événements

1 Résumez en quelques phrases les événements vécus par Octavien dans cet extrait.

a. Quel personnage rencontre-t-il dans un premier temps ?

b. Dans quel lieu et dans quelles circonstances rencontre-t-il Arria Marcella ?

c. Quelle importance cette rencontre revêt-elle pour lui ?

Le mélange des temporalités

L'abolition des frontières entre le passé et le présent, entre le monde des vivants et le monde des morts est un motif du récit fantastique.

2 a. À quelle époque exacte Octavien est-il transporté ? Pour répondre, vous direz à quelle date renvoie le mot « aujourd'hui » à la ligne 49.

b. « Du côté du petit théâtre comique que les trois amis avaient visité dans la journée » (l. 59-60) : à quelle époque renvoie l'expression « dans la journée » ?

c. Quel est l'effet produit par cette superposition des époques ?

3 a. Dans le premier paragraphe, relevez les expressions qui caractérisent la tenue du Pompéien puis celle d'Octavien.

b. En quoi ces deux tenues s'opposent-elles ? Quel est l'effet produit par cette opposition ?

4 Dans quelle langue le Pompéien s'exprime-t-il ? Octavien est-il surpris ?

5 a. Quelle est la réaction du Pompéien à la vue d'Octavien ? Par quel terme le désigne-t-il (l. 47) ?

b. Pour quelle raison sourit-il lorsqu'il entend Octavien parler latin (l. 27) ?

c. En quoi la réaction du Pompéien renforce-t-elle le phénomène fantastique ?

Le thème de la morte amoureuse : Arria Marcella

6 La progression du portrait

Dans une description, les phrases ou propositions peuvent s'enchaîner selon trois types de progression qui peuvent se croiser.
– Progression à thème constant : toutes les phrases ou propositions commencent par le même thème, le thème étant ce dont on parle (ex : il... il... il).
– Progression à thème éclaté : un thème général (ex : le visage) est divisé en plusieurs sous-thèmes (ex : Les cheveux... Les yeux... La bouche...).
– Progression linéaire : le propos d'une phrase (ce qui est dit du thème) devient le thème de la phrase suivante (ex : Il y avait une table. Sur la table...).

Relisez le portrait d'Arria Marcella. Quels sont les différents éléments décrits dans les lignes 157 à 169 ? Quel est le type de progression utilisé ?

7 a. En quoi les yeux et la bouche d'Arria Marcella sont-ils particulièrement expressifs ?

b. Pour quelle raison le portrait se termine-t-il par l'évocation de la poitrine de la jeune femme ?

8 Relevez dans ce portrait d'Arria Marcella les éléments :

– qui renvoient à l'art de la statuaire et à la perfection ;

– qui se réfèrent à la mort et à la tristesse ;

– qui renvoient à la vie et à la passion. Appuyez-vous sur les regards qu'elle lance à Octavien. Quels sentiments traduisent-ils ?

Les réactions du personnage et le point de vue

9 a. Quel effet la vue d'Arria Marcella produit-elle sur Octavien ?

b. Quel rapport établit-il entre elle et l'empreinte du musée de Naples ?

10 a. Quelle est la réaction d'Octavien face au phénomène surnaturel (l. 176 à 186) ? Témoigne-t-il de la surprise ? Cherche-t-il à l'expliquer ? L'accepte-t-il ? Justifiez en relevant les expressions qui montrent que pour lui les frontières entre le rêve et la réalité sont floues.

b. Quel est le sens de l'expression « la roue du temps était sortie de son ornière » (l. 182-183) ? Quelle est la figure de style utilisée ?

11 a. Montrez que dans les lignes 176 à 193 le narrateur fait preuve d'omniscience en même temps qu'il adopte le point de vue de son personnage. Par quel type de phrase notamment ?

b. Quel est l'intérêt pour le lecteur du choix de ces deux points de vue ?

La visée et les hypothèses de lecture

12 **a.** Quelle impression se dégage du portrait d'Arria Marcella ? Que laissent présager les dernières lignes de l'extrait sur la suite ?
b. Selon vous, le lecteur prend-il ses distances face au phénomène fantastique ou partage-t-il l'émotion d'Octavien ?

Enquêter

La représentation théâtrale

13 À l'aide de la gravure (p. 137) et du plan du petit théâtre de Pompéi ci-dessous, trouvez à quels numéros correspondent : la scène ; les vomitoires latéraux ; le parterre ou *orchestra* ; les escaliers ; les gradins occupés par les magistrats ; les gradins occupés par les femmes ; les gradins occupés par le peuple.

14 Cherchez des renseignements sur Plaute et sur les conditions dans lesquelles se déroulaient les représentations théâtrales à Rome. De quelle pièce de Plaute Molière s'est-il inspiré pour écrire *L'Avare* ?

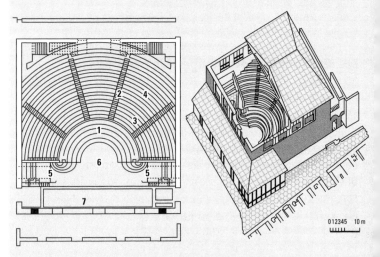

Extrait 7

« Son bras nu [...] était froid comme la peau d'un serpent »

Arria Marcella venait de monter dans sa litière portée par quatre forts esclaves syriens nus jusqu'à la ceinture, et faisant miroiter au soleil leurs torses de bronze. Le rideau de la litière s'entrouvrit, et une main pâle, étoilée de bagues, fit un signe
5 amical à Octavien, comme pour confirmer les paroles de la suivante. Le pli de pourpre retomba, et la litière s'éloigna au pas cadencé des esclaves.

Tyché fit passer Octavien par des chemins détournés, coupant les rues en posant légèrement le pied sur les pierres
10 espacées qui relient les trottoirs et entre lesquelles roulent les roues des chars, et se dirigeant à travers le dédale avec la précision que donne la familiarité d'une ville. Octavien remarqua qu'il franchissait des quartiers de Pompéi que les fouilles n'ont pas découverts, et qui lui étaient en conséquence complète-
15 ment inconnus. Cette circonstance étrange parmi tant d'autres ne l'étonna pas. Il était décidé à ne s'étonner de rien. Dans tout cette fantasmagorie[1] archaïque, qui eût fait devenir un antiquaire[2] fou de bonheur, il ne voyait plus que l'œil noir et profond d'Arria Marcella et cette gorge superbe victorieuse
20 des siècles, et que la destruction même a voulu conserver.

Ils arrivèrent à une porte dérobée, qui s'ouvrit et se ferma aussitôt, et Octavien se trouva dans une cour entourée de colonnes de marbre grec d'ordre ionique peintes, jusqu'à la moitié de leur hauteur, d'un jaune vif, et le chapiteau relevé
25 d'ornements rouges et bleus ; une guirlande d'aristoloche[3]

---

1. Spectacle surnaturel. | **3.** Plante grimpante.
2. Archéologue.

Fresque d'une villa au bord du fleuve.

suspendait ses larges feuilles vertes en forme de cœur aux saillies de l'architecture comme une arabesque naturelle, et près d'un bassin encadré de plantes, un flamant rose se tenait debout sur une patte, fleur de plume parmi les fleurs végétales.

30   Des panneaux de fresque représentant des architectures capricieuses ou des paysages de fantaisie décoraient les murailles. Octavien vit tous ces détails d'un coup d'œil rapide, car Tyché le remit aux mains des esclaves baigneurs qui firent subir à son impatience toutes les recherches des thermes[4]

35 antiques. Après avoir passé par les différents degrés de chaleur vaporisée, supporté le racloir du strigilaire[5], senti ruisseler sur lui les cosmétiques[6] et les huiles parfumées, il fut revêtu d'une tunique blanche, et retrouva à l'autre porte Tyché, qui lui prit la main et le conduisit dans une autre salle extrêmement ornée.

40 Sur le plafond étaient peints, avec une pureté de dessin, un éclat de coloris et une liberté de touche qui sentaient le grand maître et non plus le simple décorateur à l'adresse vulgaire,

---

4. Bains.
5. Esclave chargé de racler la peau de celui qui vient de se laver.
6. Produits de beauté.

Mars, Vénus et l'Amour ; une frise composée de cerfs, de lièvres et d'oiseaux se jouant parmi les feuillages régnait au-dessus d'un
45 revêtement de marbre cipolin[7] ; la mosaïque du pavé, travail merveilleux dû peut-être à Sosimus de Pergame, représentait des reliefs[8] de festin exécutés avec un art qui faisait illusion.

Au fond de la salle, sur un *biclinium* ou lit à deux places, était accoudée Arria Marcella dans une pose voluptueuse et
50 sereine qui rappelait la femme couchée de Phidias[9] sur le fronton du Parthénon[10] ; ses chaussures, brodées de perles, gisaient au bas du lit, et son beau pied nu, plus pur et plus blanc que le marbre, s'allongeait au bout d'une légère couverture de byssus[11] jetée sur elle.

55 Deux boucles d'oreilles faites en forme de balance et portant des perles sur chaque plateau tremblaient dans la lumière au long de ses joues pâles ; un collier de boules d'or, soutenant des grains allongés en poire, circulait sur sa poitrine laissée à demi découverte par le pli négligé d'un peplum[12] de couleur
60 paille bordé d'une grecque[13] noire ; une bandelette noir et or passait et luisait par places dans ses cheveux d'ébène, car elle avait changé de costume en revenant du théâtre ; autour de son bras, comme l'aspic autour du bras de Cléopâtre, un serpent d'or, aux yeux de pierreries, s'enroulait à plusieurs
65 reprises et cherchait à se mordre la queue.

Une petite table à pieds de griffons, incrustée de nacre, d'argent et d'ivoire, était dressée près du lit à deux places, chargée de différents mets servis dans des plats d'argent et d'or ou de terre émaillée de peintures précieuses. On y voyait un oiseau
70 du Phase[14] couché dans ses plumes, et divers fruits que leurs saisons empêchent de se rencontrer ensemble.

---

7. Marbre gris.
8. Restes.
9. Célèbre sculpteur grec du Vᵉ siècle avant J.-C.
10. Temple principal de l'Acropole d'Athènes.

11. Lin très fin.
12. Tunique portée par les femmes.
13. Frise géométrique.
14. Faisan. La Phase est une région mythique qui séparerait l'Europe de l'Asie.

Fresque représentant une scène de banquet.

Tout paraissait indiquer qu'on attendait un hôte ; des fleurs fraîches jonchaient le sol, et les amphores de vin étaient plongées dans des urnes pleines de neige.

75 Arria Marcella fit signe à Octavien de s'étendre à côté d'elle sur le *biclinium* et de prendre part au repas ; le jeune homme, à demi fou de surprise et d'amour, prit au hasard quelques bouchées sur les plats que lui tendaient de petits esclaves asiatiques aux cheveux frisés, à la courte tunique. Arria ne 80 mangeait pas, mais elle portait souvent à ses lèvres un vase myrrhin[15] aux teintes opalines[16] rempli d'un vin d'une pourpre sombre comme du sang figé ; à mesure qu'elle buvait, une imperceptible vapeur rose montait à ses joues pâles, de son cœur qui n'avait pas battu depuis tant d'années ; cependant 85 son bras nu, qu'Octavien effleura en soulevant sa coupe, était froid comme la peau d'un serpent ou le marbre d'une tombe.

« Oh ! lorsque tu t'es arrêté aux Studii à contempler le morceau de boue durcie qui conserve ma forme, dit Arria 90 Marcella en tournant son long regard humide vers Octavien, et que ta pensée s'est élancée ardemment vers moi, mon âme l'a senti dans ce monde où je flotte invisible pour les yeux grossiers ; la croyance fait le dieu, et l'Amour fait la femme. On n'est véritablement morte que quand on n'est plus aimée ; 95 ton désir m'a rendu la vie, la puissante évocation de ton cœur a supprimé les distances qui nous séparaient. »

L'idée d'évocation amoureuse qu'exprimait la jeune femme rentrait dans les croyances philosophiques d'Octavien, croyances que nous ne sommes pas loin de partager.

100 En effet, rien ne meurt, tout existe toujours ; nulle force ne peut anéantir ce qui fut une fois. Toute action, toute parole, toute forme, toute pensée tombée dans l'océan universel des

---

15. Vase en myrrhe, résine aromatique du balsamier.
16. Blanc avec des reflets irisés.

choses y produit des cercles qui vont s'élargissant jusqu'aux
confins[17] de l'éternité. La figuration matérielle ne disparaît
105 que pour les regards vulgaires, et les spectres qui s'en déta-
chent peuplent l'infini. Pâris continue d'enlever Hélène[18] dans
une région inconnue de l'espace. La galère de Cléopâtre gonfle
ses voiles de soie sur l'azur d'un Cydnus[19] idéal. Quelques
esprits passionnés et puissants ont pu amener à eux des siècles
110 écoulés en apparence, et faire revivre des personnages morts
pour tous. Faust a eu pour maîtresse la fille de Tyndare[20], et
l'a conduite à son château gothique, du fond des abîmes
mystérieux de l'Hadès[21]. Octavien venait de vivre un jour sous
le règne de Titus et de se faire aimer d'Arria Marcella, fille
115 d'Arrius Diomèdes, couchée en ce moment près de lui sur un
lit antique dans une ville détruite pour tout le monde.

« À mon dégoût des autres femmes, répondit Octavien, à la
rêverie invincible qui m'entraînait vers ces types radieux au
fond des siècles comme des étoiles provocatrices, je compre-
120 nais que je n'aimerais jamais que hors du temps et de l'espace.
C'était toi que j'attendais, et ce frêle vestige conservé par la
curiosité des hommes m'a par son secret magnétisme mis en
rapport avec ton âme. Je ne sais si tu es un rêve ou une réalité,
un fantôme ou une femme, si comme Ixion[22] je serre un nuage
125 sur ma poitrine abusée, si je suis le jouet d'un vil prestige de
sorcellerie, mais ce que je sais bien, c'est que tu seras mon
premier et mon dernier amour.

– Qu'Éros, fils d'Aphrodite[23] entende ta promesse, dit Arria
Marcella en inclinant sa tête sur l'épaule de son amant qui
130 la souleva avec une étreinte passionnée. Oh ! serre-moi sur

---

17. Extrémités.
18. Allusion à la cause légendaire de la guerre de Troie.
19. Fleuve d'Asie Mineure, sur lequel Marc Antoine offrit une fête somptueuse

en l'honneur de Cléopâtre en 42 avant J.-C.
20. Allusion à la tragédie de Gœthe, dans laquelle Faust va chercher Hélène, fille de Tyndare, en Enfer.

21. Dieu des Enfers dans la mythologie grecque.
22. Ixion a tenté de séduire Junon, femme de Jupiter qui le punit en lui faisant aimer un nuage.
23. Déesse de l'Amour.

ta jeune poitrine, enveloppe-moi de ta tiède haleine, j'ai froid d'être restée si longtemps sans amour. » Et contre son cœur Octavien sentait s'élever et s'abaisser ce beau sein, dont le matin même il admirait le moule à travers la vitre d'une
135 armoire de musée ; la fraîcheur de cette belle chair le pénétrait à travers sa tunique et le faisait brûler. La bandelette or et noir s'était détachée de la tête d'Arria passionnément renversée, et ses cheveux se répandaient comme un fleuve noir sur l'oreiller bleu.

140 Les esclaves avaient emporté la table. On n'entendit plus qu'un bruit confus de baisers et de soupirs. Les cailles familières, insouciantes de cette scène amoureuse, picoraient sur le pavé de mosaïque les miettes du festin en poussant de petits cris.

145 Tout à coup les anneaux d'airain[24] de la portière qui fermait la chambre glissèrent sur leur tringle, et un vieillard d'aspect sévère et drapé dans un ample manteau brun parut sur le seuil. Sa barbe grise était séparée en deux pointes comme celle des Nazaréens[25], son visage semblait sillonné par la fatigue des
150 macérations[26] : une petite croix de bois noir pendait à son col et ne laissait aucun doute sur sa croyance : il appartenait à la secte[27], toute récente alors, des disciples du Christ.

À son aspect, Arria Marcella, éperdue de confusion, cacha sa figure sous un pli de son manteau, comme un oiseau qui
155 met la tête sous son aile en face d'un ennemi qu'il ne peut éviter, pour s'épargner au moins l'horreur de le voir ; tandis qu'Octavien, appuyé sur son coude, regardait avec fixité le personnage fâcheux[28] qui entrait ainsi brusquement dans son bonheur.

---

24. Bronze.
25. Surnom donné aux chrétiens durant le Iᵉ siècle après J.-C.

26. Mortifications que certains croyants s'imposent pour demander pardon de leurs fautes.

27. Au Iᵉ siècle après J.-C., le christianisme est considéré comme une secte.
28. Qui dérange.

160 « Arria, Arria, dit le personnage austère d'un ton de reproche, le temps de ta vie n'a-t-il pas suffi à tes déportements[29] et faut-il que tes infâmes amours empiètent sur les siècles qui ne t'appartiennent pas ? Ne peux-tu laisser les vivants dans leur sphère, ta cendre n'est donc pas encore refroidie depuis
165 le jour où tu mourus sans repentir sous la pluie de feu du volcan ? Deux mille ans de mort ne t'ont donc pas calmée, et tes bras voraces attirent sur ta poitrine de marbre, vide de cœur, les pauvres insensés enivrés par tes philtres[30].

– Arrius, grâce, mon père, ne m'accablez pas, au nom de
170 cette religion morose[31] qui ne fut jamais la mienne ; moi, je crois à nos anciens dieux qui aimaient la vie, la jeunesse, la beauté, le plaisir ; ne me replongez pas dans le pâle néant. Laissez-moi jouir de cette existence que l'amour m'a rendue.

– Tais toi, impie[32], ne me parle pas de tes dieux qui sont des
175 démons. Laisse aller cet homme enchaîné par tes impures séductions ; ne l'attire plus hors du cercle de sa vie que Dieu a mesurée ; retourne dans les limbes[33] du paganisme[34] avec tes amants asiatiques, romains ou grecs. Jeune chrétien, abandonne cette larve qui te semblerait plus hideuse qu'Empouse
180 et Phorkyas[35] si tu la pouvais voir telle qu'elle est. »

Octavien, pâle, glacé d'horreur, voulut parler ; mais sa voix resta attachée à son gosier, selon l'expression virgilienne[36].

« M'obéiras-tu, Arria ? s'écria impérieusement le grand vieillard.

185 – Non, jamais », répondit Arria, les yeux étincelants, les narines dilatées, les lèvres frémissantes, en entourant le corps d'Octavien de ses beaux bras de statue, froids, durs et rigides comme le marbre. Sa beauté furieuse, exaspérée par la lutte,

---

29. Débauche.
30. Boissons magiques.
31. Triste.
32. Qui ne croit pas.
33. Région mal définie.

34. Nom donné par les chrétiens aux religions polythéistes de l'Antiquité grecque et romaine.
35. Vampires féminins dans la mythologie grecque.
36. Allusion à un vers de l'Énéide (III, 48) : « Vox faucibus haesit ».

rayonnait avec un éclat surnaturel à ce moment suprême,
190 comme pour laisser à son jeune amant un inéluctable[37]
souvenir.

« Allons, malheureuse, reprit le vieillard, il faut employer
les grands moyens, et rendre ton néant palpable et visible à
cet enfant fasciné », et il prononça d'une voix pleine de
195 commandement une formule d'exorcisme[38] qui fit tomber des
joues d'Arria les teintes pourprées que le vin noir du vase
myrrhin y avait fait monter.

En ce moment, la cloche lointaine d'un des villages qui
bordent la mer ou des hameaux perdus dans les plis de la
200 montagne fit entendre les premières volées de la Salutation
angélique[39].

À ce son, un soupir d'agonie sortit de la poitrine brisée de
la jeune femme. Octavien sentit se desserrer les bras qui l'en-
touraient ; les draperies qui la couvraient se replièrent sur
205 elles-mêmes, comme si les contours qui les soutenaient se
fussent affaissés, et le malheureux promeneur nocturne ne
vit plus à côté de lui, sur le lit du festin, qu'une pincée de
cendres mêlée de quelques ossements calcinés parmi lesquels
brillaient des bracelets et des bijoux d'or, et que des restes
210 informes, tels qu'on les dut découvrir en déblayant la maison
d'Arrius Diomèdes.

Il poussa un cri terrible et perdit connaissance.

Le vieillard avait disparu. Le soleil se levait, et la salle ornée
tout à l'heure avec tant d'éclat n'était plus qu'une ruine
215 démantelée.

---

37. Auquel on ne peut pas résister.
38. Formule pour chasser les démons.

39. Une des prières chrétiennes du début
de la journée.

Questions

Repérer et analyser

Le phénomène fantastique

Le cadre antique

1 Qu'y a-t-il d'étrange dans les lieux traversés par Octavien pour se rendre dans la villa d'Arria Marcella ?

2 Comparez la description de la maison d'Arrius Diomèdes faite dans l'extrait 3 et celle qui figure dans cet extrait. Quels éléments y retrouvez-vous ?

3 Citez quelques éléments du décor, de l'architecture, de la vie quotidienne qui se réfèrent à l'Antiquité. Quel est l'effet produit sur le lecteur ?

Le thème de la morte amoureuse

4 Relevez dans les évocations d'Arria Marcella les mots et expressions qui renvoient à la mort (pâleur, froideur…) et à l'art de la statuaire. Quel est l'effet produit ?

5 **a.** Comment Arria Marcella explique-t-elle son retour à la vie lignes 88 à 96 ? Quel sens donnez-vous à l'expression « la croyance fait le dieu et l'Amour fait la femme » (l. 93) ?

b. À quels moments Arria Marcella semble-t-elle retrouver des couleurs et revivre ? Citez le texte. Quel est notamment l'effet du vin sur elle ? À quoi le vin est-il comparé (l. 81-82) ?

6 Relevez les expressions qui montrent qu'Arria Marcella se comporte comme une femme amoureuse (regards, attitude).

Le motif de la transgression et de l'exorcisme

– Dans un récit fantastique, commettre une transgression, c'est abolir les limites entre le possible et l'impossible, notamment entre la mort et la vie, entre le passé et le présent (faire revivre les morts, animer des objets, se dédoubler…).

– Un exorcisme est un rituel visant à chasser une force maléfique (démon, spectre…).

7 Relevez dans les paroles du père (l. 162 à 180) l'expression qui montre qu'Arria Marcella a commis une transgression. De quelle transgression s'agit-il ?

8 Montrez qu'Arria Marcella et son père sont en totale opposition concernant la religion.

a. Précisez leurs différences. À quelle ligne Arrius Diomèdes évoque-t-il le démon ? En parlant de qui ?

b. Par quelle expression (l. 178 à 180) s'adresse-t-il à Octavien ?

9 Quel reproche sur son mode de vie Arria Marcella reçoit-elle de son père ?

10 Relevez le passage dans lequel Arria détourne son regard de son père. Pour quelle raison ne peut-elle soutenir ce regard ?

11 Comment Arrius Diomèdes s'y prend-il pour exorciser sa fille ? Quel est l'effet de cet exorcisme ?

La seconde mort d'Arria Marcella

12 **a.** Pour quelle raison le son de la cloche fait-il mourir Arria Marcella ?

b. Relevez les mots et expressions qui décrivent sa mort (l. 202 à 211). Quel est l'effet produit ?

c. En quoi peut-on dire qu'Arria Marcella meurt une seconde fois ?

Les réactions d'Octavien

13 Quelle est la réaction d'Octavien lorsqu'il traverse Pompéi pour se rendre chez Arria Marcella ? Accepte-t-il l'irruption de l'étrange ? Quelle est sa seule préoccupation ?

14 Quelle déclaration d'amour fait-il à Arria Marcella (l. 117 à 127) ? Montrez, en citant le texte, que pour lui la frontière entre le rêve et la réalité est extrêmement fragile.

15 Quelle est la réaction d'Octavien lors de l'altercation entre Arria Marcella et son père ?

Les éléments symboliques et la fin du phénomène fantastique

16 **a.** Octavien effleure le bras d'Arria Marcella (l. 85 à 87) : à quel animal assimile-t-il le contact de sa peau ? En quoi un des bijoux portés par Arria annonce-t-il le rapprochement ?

b. Que symbolise cet animal dans la religion chrétienne ? En quoi Arria Marcella peut-elle être assimilée, selon son père, à cet animal ?

17 Relisez la dernière phrase. Quelles sont les différentes manifestations qui marquent la fin du phénomène fantastique ?

18 **a.** Montrez qu'il y a retour à la réalité. À quelle époque revient-on ? Quel est le moment de la journée ? Combien de temps le phénomène fantastique a-t-il duré ?

b. Dans quel état se trouve Octavien ?

La conception de l'amour et la visée

19 **a.** Expliquez l'expression : « rien ne meurt, tout existe toujours » (l. 100). Quelle est la conception de l'amour dans ce passage ? Appuyez-vous sur les propos d'Arria Marcella.

b. En quoi l'amour idéal pour Octavien est-il un amour impossible ?

20 Quel est l'effet produit par l'arrivée du père d'Arria Marcella ? Montrez qu'il appartient à la fois au passé et au présent.

21 **a.** Au terme de cet épisode et compte tenu de l'état d'Octavien à la fin de l'extrait, que peut penser le lecteur du phénomène fantastique ? Est-il conduit à y croire ou peut-il opter pour une explication rationnelle ? Justifiez votre réponse.

b. À quelle suite pouvez-vous vous attendre ?

Écrire

Écrire à partir d'une photo

22 Au fond d'un tiroir vous découvrez une vieille photographie. À force de la regarder les personnages prennent vie. Racontez.

Extrait 8

« L'image d'Arria Marcella le poursuivait toujours »

Après avoir dormi d'un sommeil appesanti par les libations[1] de la veille, Max et Fabio se réveillèrent en sursaut, et leur premier soin fut d'appeler leur compagnon, dont la chambre était voisine de la leur, par un de ces cris de ralliement
5 burlesques dont on convient quelquefois en voyage; Octavien ne répondit pas, pour de bonnes raisons. Fabio et Max, ne recevant pas de réponse, entrèrent dans la chambre de leur ami, et virent que le lit n'avait pas été défait.

« Il se sera endormi sur quelque chaise, dit Fabio, sans
10 pouvoir gagner sa couchette, car il n'a pas la tête forte, ce cher Octavien; et il sera sorti de bonne heure pour dissiper les fumées du vin à la fraîcheur matinale.

– Pourtant il n'avait guère bu, ajouta Max par manière de réflexion. Tout ceci me semble assez étrange. Allons à sa
15 recherche. »

Les deux amis, aidés du cicerone[2], parcoururent toutes les rues, carrefours, places et ruelles de Pompéi, entrèrent dans toutes les maisons curieuses où ils supposèrent qu'Octavien pouvait être occupé à copier une peinture ou à relever une
20 inscription, et finirent par le trouver évanoui sur la mosaïque disjointe d'une petite chambre à demi écroulée. Ils eurent beaucoup de peine à le faire revenir à lui, et quand il eut repris connaissance, il ne donna pas d'autre explication, sinon qu'il avait eu la fantaisie de voir Pompéi au clair de la lune,

| **1.** Boissons. | **2.** Guide.

25　et qu'il avait été pris d'une syncope qui, sans doute, n'aurait
pas de suite.

　　La petite bande retourna à Naples par le chemin de fer,
comme elle était venue, et le soir, dans leur loge, à San Carlo[3],
Max et Fabio regardaient à grand renfort de jumelles sautiller
30　dans un ballet, sur les traces d'Amalia Ferraris[4], la danseuse
alors en vogue, un essaim de nymphes[5] culottées, sous leurs
jupes de gaze, d'un affreux caleçon vert monstre qui les faisait
ressembler à des grenouilles piquées de la tarentule[6]. Octavien,
pâle, les yeux troubles, le maintien accablé, ne paraissait pas
35　se douter de ce qui se passait sur la scène, tant, après les
merveilleuses aventures de la nuit, il avait peine à reprendre
le sentiment de la vie réelle.

　　À dater de cette visite à Pompéi, Octavien fut en proie à une
mélancolie morne, que la bonne humeur et les plaisanteries
40　de ses compagnons aggravaient plutôt qu'elles ne la soula-
geaient; l'image d'Arria Marcella le poursuivait toujours, et
le triste dénouement de sa bonne fortune fantastique n'en
détruisait pas le charme.

　　N'y pouvant plus tenir, il retourna secrètement à Pompéi et
45　se promena, comme la première fois, dans les ruines, au clair
de lune, le cœur palpitant d'un espoir insensé, mais l'hallucination ne se renouvela pas; il ne vit que des lézards fuyant
sur les pierres; il n'entendit que des piaulements d'oiseaux de
nuit effrayés; il ne rencontra plus son ami Rufus Holconius;
50　Tyché ne vint pas lui mettre sa main fluette sur le bras; Arria
Marcella resta obstinément dans la poussière.

　　En désespoir de cause, Octavien s'est marié dernièrement à
une jeune et charmante Anglaise, qui est folle de lui. Il est
parfait pour sa femme; cependant Ellen, avec cet instinct du

---

3. Nom de l'opéra de Naples.
4. Danseuse italienne (1830-1904).
5. Jeunes filles gracieuses.

6. La tarentule est une araignée
venimeuse de la région de Tarente,
dans le sud de l'Italie.

cœur que rien ne trompe, sent que son mari est amoureux
d'une autre ; mais de qui ? C'est ce que l'espionnage le plus
actif n'a pu lui apprendre. Octavien n'entretient pas de
danseuse ; dans le monde, il n'adresse aux femmes que des
galanteries banales ; il a même répondu très froidement aux
60 avances marquées d'une princesse russe, célèbre par sa beauté
et sa coquetterie. Un tiroir secret, ouvert pendant l'absence
de son mari, n'a fourni aucune preuve d'infidélité aux soupçons d'Ellen. Mais comment pourrait-elle s'aviser d'être
jalouse de Marcella, fille d'Arrius Diomèdes, affranchi[7] de
65 Tibère[8] ?

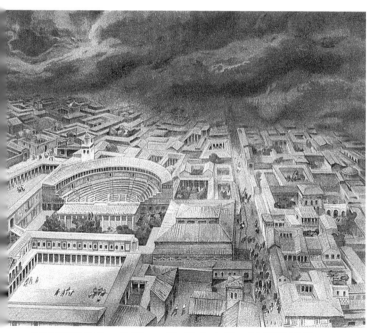

Vue générale de Pompéi, lithographie d'Antonio Niccolini (1772-1850).

| **7.** Esclave libéré. | **8.** Empereur romain (de 42 avant J.-C. à 37 après J.-C.).

Repérer et analyser

Les circonstances, le dénouement et le temps

1 Dans quel extrait les personnages de Max et de Fabio sont-ils apparus pour la dernière fois ? Quelle image le lecteur a-t-il gardé d'eux ? Combien de temps s'est-il écoulé depuis ?

2 Octavien a-t-il dormi dans sa chambre ? Où ses amis le retrouvent-ils ? Dans quel état ?

3 Quelles sont les actions qui s'enchaînent à partir du moment où Octavien est retrouvé ?

4 Quel est le dernier événement qui met un terme à l'action ?

5 Montrez que le dernier paragraphe de la nouvelle renvoie à une autre temporalité que celle de l'histoire racontée. Laquelle par rapport au moment de l'écriture ? Appuyez-vous sur l'adverbe de temps ligne 52 et sur les temps verbaux utilisés. Reportez-vous également à l'indication de temps présente dans la première phrase de la nouvelle.

La structure de la nouvelle

Un système d'échos

Dans une nouvelle, certains motifs sont souvent repris en écho. Il arrive que l'épisode final renvoie à l'épisode d'ouverture et se présente comme une boucle qui se ferme.

6 **a.** Montrez que l'on retrouve à la fin de la nouvelle les motifs du début.
b. En quoi le retour à Naples marque-t-il une fin pour Octavien ?

La dernière phrase

Lorsque le titre d'une nouvelle est un nom propre, il arrive souvent que ce nom propre soit repris dans la dernière phrase, ce qui place le héros en position centrale.

7 Relisez la dernière phrase. Quels sont les noms propres qui y figurent ? En quoi rendent-ils compte de l'aventure vécue par Octavien ?

Les réactions d'Octavien

8 **a.** Dans quel état se trouve Octavien après son aventure ? En quoi se démarque-t-il de plus en plus de ses amis ?

b. Pour quelle raison ne leur raconte-t-il pas ce qu'il a vécu ? Que leur laisse-il croire ?

c. Selon vous, croit-il qu'il a véritablement vécu son aventure ?

9 Pour Octavien, le spectacle du San Carlo en évoque un autre. Lequel ? Quel effet ce spectacle produit-il sur lui ?

10 **a.** « N'y pouvant plus tenir, il retourna secrètement à Pompéi » (l. 44) : qu'espère-t-il y trouver ?

b. Relevez les tournures négatives dans le paragraphe lignes 44 à 51 : pourquoi y en a-t-il tant ? Quel est l'effet produit ?

11 Le mariage a-t-il changé quelque chose à son état d'âme ? Justifiez votre réponse.

Le récit fantastique

Le principe d'hésitation

Le récit fantastique place le lecteur dans l'impossibilité de choisir entre une interprétation surnaturelle des faits et une explication rationnelle (qui fait appel à la raison).

12 Montrez, en répondant aux questions, que le récit fournit des indices qui pourraient faire pencher le lecteur tantôt vers une explication naturelle, tantôt vers une interprétation surnaturelle. Vous montrerez également que ces indices sont fournis aussi bien par Max, Fabio, Octavien que par le narrateur.

	Explication naturelle	Interprétation surnaturelle
Quelle hypothèse Fabio formule-t-il pour expliquer la disparition d'Octavien ?		
Citez l'expression par laquelle Fabio suggère que son ami est fragile.		
Relevez l'adjectif utilisé par Max pour qualifier la situation (l. 14).		

	Explication naturelle	Interprétation surnaturelle
Quelle explication Octavien donne-t-il à son état (l. 23 à 26) ?		
Quels peuvent être les sens du mot « merveilleux » ligne 36 ?		
Quel est le sens étymologique du mot « charme » (l. 43) ?		
Quel est le sens du mot « hallucination » (l. 46-47) ?		

La fin du récit fantastique

13 En quoi le prénom de la femme d'Octavien, Ellen, forme anglaise d'Hélène, est-il lié à ce qu'Octavien a vécu (voir note 20, p. 146) ?

14 Comment les soupçons d'Ellen à l'égard de son mari s'expliquent-ils ? Montrez que, par son comportement, le personnage, contrairement à Octavien, est complètement ancré dans la réalité.

15 Sur quel type de phrase le récit s'achève-t-il ? Quel est l'effet produit sur le lecteur ?

La visée

16 Quel effet ce récit a-t-il produit sur vous ? Quelle interprétation donnez-vous aux événements ?

Écrire

Écrire un dialogue

17 Des années plus tard, Octavien rencontre Max et lui raconte ce qui s'est passé cette nuit-là. Écrivez le dialogue. Max est incrédule et présente des objections au récit fait par Octavien.

Écrire une lettre

18 Ellen écrit à sa sœur pour lui raconter l'étrange attitude de son mari et lui faire part de ses doutes et de ses interrogations. Elle émet différentes hypothèses pour expliquer ce comportement.

La Morte amoureuse/Arria Marcella

Le narrateur, le cadre et le personnage principal

1 À quelle personne le narrateur mène-t-il le récit dans chacune des nouvelles ? Dans quelle nouvelle est-il le personnage ? Quel point de vue adopte-t-il le plus souvent dans l'autre nouvelle ?

2 Montrez que dans les deux nouvelles l'action se déroule dans un cadre réaliste précis. À quelle époque se situe-t-elle ?

3 **a.** Qui sont les personnages qui vivent l'événement fantastique ? Quels sont leur prénom, leur fonction dans la société ? Ont-ils l'expérience de la vie ?

b. En quoi se distinguent-ils des autres personnages ? En quoi sont-ils prédisposés à éprouver une grande passion amoureuse ?

Le fantastique

4 Quelle est la nature du phénomène fantastique vécu par chacun des personnages ? Dans quel cadre a-t-il lieu ? À quel moment de la journée ? Montrez que les héros sont en proie au doute.

5 Quels sont les points communs entre les deux personnages féminins ? À quel animal sont-elles souvent comparées ? Quelle est celle qui semble la plus dangereuse ? En quoi ?

6 Dans quelle nouvelle apparaît le thème du double ? Le personnage est-il heureux ? Qui procède à l'exorcisme ? Par quel acte ?

7 Quelles sont les transgressions commises ? En quoi sont-elles inquiétantes ? Le héros est-il mis en garde ? Par qui ?

La chute, l'interprétation et la visée

8 En quoi les dénouements se ressemblent-ils ? Quelles figures d'autorité arrachent le héros à son aventure ? Sont-elles plus âgés ?

9 Quels sentiments les héros éprouvent-ils à la fin de leur aventure ?

10 Montrez que chacune des nouvelles peut donner lieu à une interprétation surnaturelle et à une interprétation rationnelle. Quelle interprétation personnelle donnez-vous quant à vous ?

Index des rubriques

Repérer et analyser

Écrire

Comparer

Enquêter

Lire

Se documenter

Étudier une image

Table des illustrations

2	ph ©	Lewandowski/RMN
4	ph ©	Félix Nadar/Arch. Photo Paris/ CMN, Paris
9, 45, 73	ph ©	Photo12.com/Oasis
14, 31	ph ©	AKG-images
57	ph ©	The Munch-Museum/ The Munch-Ellingsen Group – ADAGP, Paris 2005
79	ph ©	Giraudon
82-83	ph ©	AKG, Paris
85	ph ©	Quecq d'Henripret/RMN
95, 123, 144	ph ©	Lauros-Giraudon
100, 155	ph ©	Jean-Loup Charmet
103, 137	ph ©	BNF/Paris
109	ph ©	Edimedia
116		L'excellent du chat de Philippe Geluck © Casterman
128-129	ph ©	ENSBA
132	ph ©	Alinari-Giraudon/Archives Hatier
142	ph ©	Archives Hatier

et 18, 19, 20, 21, 22, 23, 24, 34, 35, 36, 37, 38, 39, 49, 50, 51, 52, 53, 63, 64, 65, 66, 67, 75, 76, 77, 78, 86, 87, 88, 89, 96, 97, 98, 104, 105, 106, 107, 114, 115, 116, 124, 125, 126, 127, 128, 129, 138, 139, 140, 150, 151, 152, 156, 157, 158 (détail) ph © Archives Hatier.

Iconographie : Hatier Illustration
Cartographie : Domino
Graphisme : mecano-Laurent Batard
Mise en page : ALINÉA

Achevé d'imprimer par Black Print CPI Iberica S.L.U - Espagne
Dépôt légal n° 75108-0/11 - juin 2017